유희태
일반영어 ② 유형

모범답안 및 번역

LSI 영어연구소 유희태 박사 저

CONTENTS

Part 01

기입형

Chapter 01 요지, 목적찾기 ·   6

Chapter 02 제목찾기 ·   24

Chapter 03 빈칸추론 ·   36

Chapter 04 지칭추론 ·   78

Part
02

서술형

Chapter 01 의미찾기 · 98

Chapter 02 함축의미, 추론 · 142

Chapter 03 요지, 목적, 제목 · · · · · · · · · · · · · · · · · · 158

Chapter 04 지칭추론 · 170

유희태 일반영어 ②

2 S 2 R

유형

모범답안 및 번역

기입형

요지, 목적찾기

| 01 | 하위내용영역 일반영어 A형 기입형 | 배점 2점 | 예상정답률 50% | 본책 p.008 |

모범답안 ① Evolution   ② height

채점기준

- 2점 : 모범답안과 같다.
- 1점 : 둘 중 하나만 맞았다.
- 0점 : 모범답안과 다르다.

> **한글 번역**   벤 야니크는 키가 6피트 7인치(약 2m)이다. 과학 컨퍼런스에 참석해서 런던 열대의학 대학원의 인구통계학자로서 연구를 발표하려고 일어설 때 그의 신장으로 인해 그는 남의 시선을 의식하게 된다. "그건 항상 꽤 당황스러워요."라고 그가 말했다.
>
> 네덜란드 사람인 야니크 박사는 그와 같은 시민들이 그렇게 키가 큰 원인을 연구한다. 오늘날, 네덜란드인들은 평균 신장이 지구에서 제일 크다. 150년 전만 하더라도, 그들은 상대적으로 작았다. 1860년 네덜란드 군인의 평균 신장은 5피트 5인치(약 165cm)였다. 미국 남성들이 2.7인치(약 7cm) 더 컸다. 1860년부터 세계 여러 곳에서 평균 신장이 증가했지만, 네덜란드인만큼 급증한 사람들은 없었다. 현재 네덜란드인의 평균 신장은 6피트(약 182cm) 이상이다. 그리고 미국에서의 성장 급등이 최근 몇 년 멈춰있던 반면에 네덜란드인들은 계속 컸다.
>
> 수년간, 과학자들은 평균 신장이 늘어난 원인과 특히 네덜란드인들이 매우 급속히 성장하는 원인을 이해하려고 했다. 다른 요소 중에, 네덜란드인들은 과거보다 더 좋은 식단을 가지고 있고 또한 더 나은 건강관리를 한다. 하지만 이제 야니크 박사는 진화 또한 그들을 성장시키는 데 도움을 주고 있다는 것을 제안하는 증거를 찾았다.
>
> LifeLines라 불리는 네덜란드에 최근 설립된 주요 의학 데이터베이스 덕분에 새 연구가 가능해졌다. 이 데이터베이스는 수만 명의 네덜란드인 가족의 유전적 프로파일과 진료기록을 포함한 어마어마한 양의 정보를 담고 있다. 야니크 박사는 실험 대상의 신장과 그들이 얼마나 많은 아이를 가졌는지를 살피면서, 45세 이상 남녀 42,612명에 대한 데이터를 분석했다. 평균보다 큰 네덜란드 사람들이 평균이거나 이하인 사람들보다 더 많은 아이를 가졌다. 예를 들어, 1950년대 초 태어난 사람 중에서 신장이 5피트 6인치(약 167cm)인 사람들은 평균 2.15명의 아이를 가졌다. 6피트 1인치(약 185cm)인 사람들은 평균 2.39명의 아이를 가졌다. 더 큰 사람들이 더 많은 아이를 갖는 추세는 35년 이상 동안 지속되었다. 동일한 조건에서, 어떤 사람들은 특정 유전적 변이를 지니고 있기 때문에 다른 사람들보다 더 성장한다.

NOTE

Step 1	Survey
Key Words	tall; Dutch; average height; evolution; medical database
Signal Words	Today; Since 1860; But now; The new study
Step 2	**Reading**
Purpose	to explain what might be causing the rising average height of the Dutch
Pattern of Organization	cause&effect
Tone	informative
Main Idea	The cause of greater Dutch height is believed to be evolutionary.
Step 3	**Summary**
지문 요약하기 (Paraphrasing)	The cause of greater Dutch height is believed to be evolutionary. The Dutch average height is the tallest on the planet and continues to rise. While diet and medical care was theorized to be a cause, a recent revelation assisted by a new major medical database pointed towards evolution as the major cause when it showed that taller men were tending to have more children.
Step 4	**Recite**

요약문 말로 설명하기

02 하위내용영역 일반영어 A형 기입형　배점 2점　예상정답률 40%　　　　본책 p.010

모범답안　① ferocity or cruelty　② irrational　③ poltroons

채점기준
- 2점: 모범답안과 같다.
- 1점: 셋 중 두 개만 맞았다.
- 0점: 셋 중 한 개 또는 0개만 맞았다.

한글 번역　구약 성서에서 요나를 바다에 내던진 선원들은 배를 뒤집을 기세로 불어 닥친 폭풍의 원인이 바로 그라고 상상했다. 이와 비슷한 정신 상태에서 일본인들은 간토 대지진이 일어났을 때 조선인들과 자유주의자들을 학살했다. 포에니 전쟁에서 로마가 승전을 거듭할 무렵, 카르타고인들은 몰렉 신에 대한 자신들의 신앙심의 나태함이 파고들었기 때문에 전투에서 졌다고 믿었다. 몰렉이 좋아하는 제물은 어린아이였는데 특히 귀족 집안의 어린 자제를 선호했다. 그러나 카르타고의 귀족들은 평민 집안의 아이를 남몰래 데려다 자기 아이 대신 제물로 바치는 관행을 일찌감치 마련해 놓았다. 사람들은 이러한 관행 때문에 몰렉신이 노했다고 여겼고, 이로써 전황이 최악으로 치달을 때는 최고 귀족 가문의 아이들조차도 군말 없이 불 속에 던져져야 했다. 신기하게도, 카르타고인들이 이렇게 민주주의적 개혁을 이루었는데도 불구하고 정작 전쟁에 이긴 쪽은 로마인들이었다. 집단적 공포는 사람들의 집단 본능을 자극하며, 그 집단의 일원으로 인정받지 못하는 사람에 대한 만행을 촉발하는 경향이 있다. 프랑스 혁명 당시 외국 군대가 쳐들어올지도 모른다는 공포가 만연했을 때에도 그러했다. 그리고 나치가, 패배에 가까워졌을 때, 유대인을 몰살시켜야 한다고 주장하는 그들의 캠페인의 강도를 높이려는 것은 곧 그들이 두렵다는 것이다. 거대한 공포의 영향력 아래서는 어떤 개인도 군중도 국가도 자비롭게 행동하거나 올바르게 생각하리라고 기대할 수 없다. 이러한 까닭에 용감한 사람보다는 겁쟁이가 더 쉽게 잔인해지고 더 쉽게 미신에 기대는 것이다. 이렇게 말할 때 내가 염두에 두는 사람은 모든 면에서 용감한 사람이지 죽음에 직면한 경우에만 용감한 사람은 아니다. 의연하게 죽음을 무릅쓸 사람은 많겠지만, 자신에게 목숨을 바치라고 요구하는 명분이 헛된 것이라는 진실에 대해서는 말할 용기는커녕 생각할 용기를 내는 사람도 많지 않을 것이다.

NOTE

Step 1	Survey
Key Words	collective fear; superstition; irrational emotion; cruelty
Signal Words	the cause of; due to; stimulates; produce; increase; for this reason
Step 2	**Reading**
Purpose	to show the influence of irrational emotions such as fear on stirring cruelty
Pattern of Organization	cause&effect
Tone	critical
Main Idea	Under the influence of fear, masses will tend toward irrational cruelty.
Step 3	**Summary**
지문 요약하기 (Paraphrasing)	Collective fear can stimulate ferocity onto outsiders, but truly brave men can question these practices. Cases in history have shown this again and again, and the truly brave man does not only face death without fear but also can speak or think in consideration of the causes they live for.
Step 4	**Recite**

요약문 말로 설명하기

모범답안　ⓐ geography　ⓑ gun control

채점기준

• 2점 : 모범답안과 같다.　ⓑ gun control-supporting이라 해도 맞는 것으로 한다.
• 1점 : 둘 중 하나만 맞았다.
• 0점 : 모범답안과 다르다.

한글 번역　전미총포협회(NRA)와 협회를 따르는 총기 찬성집단이 총기 규제 법안을 저지하는 데 있어서 지금까지 매우 성공적이었음을 이해하기 위해서, 2013년 4월, 상원이 Newtown 총기 사건 후에 신원 조사를 늘리는 것에 관해 투표할 때 알래스카의 민주당원인 전임 상원의원 마크 베기치가 직면했던 딜레마를 고려해야 한다. 베기치는 2014년 재선에 입후보했다. 그는 알래스카 지역의 많은 주민이 총기 소유자이며, 그들이 총기 문제에만 투표한다는 것을 알았다. 그는 또한 다른 사람들이 더 엄격한 총기 규제를 원할지도 모르지만, 아마 그들의 대부분은 어쨌든 그를 지지할 민주당원임도 알았다. 그래서 아칸소주, 노스다코타주, 몬태나주 같은 총기가 밀집한 지역의 동료 민주당원들을 따라서 베기치는 이성적인 정치적 계산을 했다. 그는 총기 규제에 반대하는 투표를 했는데, 어쨌든 떨어졌다.

NRA는 자신을 반대하는 어떤 국회의원에게든 실제적인 위협을 가한다. 협회는 후보자를 평가하기 위해 명확한 순위 제도를 사용한다. 그것은 협회의 3백만 회원들이 자신들의 요구를 널리 알리는 데 도움이 된다. 많은 사람이 NRA 순위만을 근거로 후보자들을 지지할 것이다. NRA는 또한 공격적으로 의회 선거전에 비용을 쓰고(2014년엔 임시비용이 2,840만 달러였다), 돈보다 훨씬 더 가치 있는 투표를 보장할 수 있다. 반대로, 총기 규제 법안을 지지하는 집단들은 아직 그들이 박빙의 선거전을 끝낼 단일 쟁점에 호소하는(여기서는 총기 규제) 충분한 투표권자들을 보장할 수 있다는 것을 증명하지 못했다. 이 집단들은 규모와 회원이 성장 중이지만, 여전히 갈 길은 멀다.

총기 로비는 또한 지리적으로, 특히 상원에서 혜택을 받는다. 인구가 적은 주들은 총기 소유가 많은 지역일 가능성이 더 높고, 그 지역들은 상원에서 불균형적인 영향력을 갖는다. 하원에서는 총기 규제를 지지하는 민주당원들이 불균형적으로 자리가 보장된 도시지역에 집중하며, 경합주 대부분은 시골이나 교외 지역, 총기 찬성 투표권자들이 더 많이 밀집한 근거지이다. 심지어 가장 완화된 총기 규제 법안이 통과되기 위해선 양 원의 대다수가 총기 규제를 반대하는 정치적 비용이 총기 로비를 반대하는 정치적 비용보다 더 높다는 것을 확신해야만 한다.

01

NOTE

Step 1	Survey
Key Words	National Rifle Association; gun control; rating system; single-issue voters; geography
Signal Words	also; also

Step 2	Reading
Purpose	to outline how the NRA's political power functions
Pattern of Organization	series
Tone	informative
Main Idea	The gun lobby holds a significant influence over legislation elections through several means.

Step 3	Summary
지문 요약하기 (Paraphrasing)	The gun lobby holds a significant influence over legislation elections through several means. The National Rifle Association's scoring system of candidates can ensure the way its three million members will vote. Likewise, it spends substantially on congressional races. Also, geography benefits the gun lobby from rural areas which have an advantage in the Senate and in the house with states having areas that are heavily gun-owning.

Step 4	Recite
	요약문 말로 설명하기

04 하위내용영역 일반영어 A형 기입형   배점 2점   예상정답률 65%   본책 p.014

모범답안 ⓐ Personality   ⓑ genes

채점기준
• 2점: 모범답안과 같다.
• 1점: 둘 중 하나만 맞았다.
• 0점: 모범답안과 다르다.

한글 번역   모든 인간의 세포에 유전적 정보를 지니고 있는 산, DNA는 단 4개의 화학 물질 ― 아데닌, 시토신, 구아닌, 그리고 티민 ― 만 가지고 있다. 하지만 단 하나의 유전자만 대략 백만 가지의 조합에 의해 판독이 된다. (인간 유전자의 지도를 제공한) 인간 게놈 프로젝트가 2000년 봄, 완성에 가까워졌을 때, 특정 발견에 대한 수많은 신문 헤드라인들은 다음과 같았다. "불안과 연결된 유전자" "게이 유전자!" 그리고 "유전학으로 인한 스릴 추구" 신문 기사들은 하나의 유전자가 신체적 특성이나 질병에 책임이 있다는 것과 같은 방식으로, 사람들이 단 하나의 유전자가 특정 성격 특성에 책임이 있다고 믿도록 이끌었다. 하지만 하나의 유전자만 홀로 사람들을 불안하게 하거나, 동성애자가 되게 하거나, 스릴을 추구하게끔 할 수는 없다. 그렇기보단 많은 유전자가 함께 작용해서 그것들이 체내의 화학 물질들의 조합을 지시한다. (사람의 기분에 영향을 주는) 도파민과 세로토닌 같은 이 화학 물질들이 성격에 큰 영향을 끼친다.

NOTE

Step 1	Survey
Key Words	genes; personality; characteristic
Signal Words	influence; led ⋯ to; is responsible for; cause
Step 2	**Reading**
Purpose	to clarify how exactly genes play a role in personality
Pattern of Organization	cause&effect
Tone	neutral
Main Idea	Personality is influenced by the combination of many genes, not individual genes.
Step 3	**Summary**
지문 요약하기 (Paraphrasing)	While some physical traits can be influenced by a single gene, personality traits are much more complex, and, despite media stories to the contrary, are not so contingent on individual genes.
Step 4	**Recite**
	요약문 말로 설명하기

01

모범답안 ① idleness   ② virtuous

채점기준

· 4점: 모범답안과 같다.
· 2점: 둘 중 하나만 맞았다.
· 0점: 모범답안과 다르다.

한글 번역 우리 세대 사람들 대부분이 그렇듯 나도 이런 말을 들으며 자라났다. "사탄은 항상 게으른 손이 저지를 해악을 찾아낸다." 대단히 도덕적인 아이였던 난 들은 대로 모두 믿었고, 지금 이 순간까지도 열심히 일만 하게 만드는 양심을 가지게 되었다. 하지만 비록 내 양심이 내 행동을 지배하고 있다고 해도 내 소신은 그동안 일종의 혁명을 겪어왔다. 현대 산업국가에 필요한 설교는 지금까지 늘 해오던 것과는 전혀 달라야 한다고 생각한다. 나폴리를 여행하다(무솔리니 시대 이전의 일이었다) 햇빛 아래 누워있는 열두 명의 거지들과 마주쳤던 여행객 이야기는 모두 알 것이다. 그는 가장 게으른 거지에게 1리라를 주겠다고 했다. 그중 열한 명이 벌떡 일어나 자기가 갖겠다고 하자 그는 여전히 누워있는 열두 번째 거지에게 돈을 주었다. 이 여행객의 판단은 정확했다. 그러나 지중해의 햇살을 즐길 수 없는 나라에선 게을러진다는 것이 더 어려워서 게으르려면 먼저 대대적인 대중 선전이 필요할 판이다. YMCA 지도자들은 내 얘기를 다 읽고 나거든, 아무것도 하지 말아보라고 선량한 젊은이들에게 캠페인을 시작해 주길 바란다. 그렇게 된다면 나도 헛살진 않은 셈이 될 테니까.

01

NOTE

Step 1	Survey
Key Words	idle; work
Signal Words	not clear
Step 2	**Reading**
Purpose	to make a point about promoting laziness
Pattern of Organization	not clear
Tone	ironic
Main Idea	There is too much work done in the world and people should start practicing idleness.
Step 3	**Summary**
지문 요약하기 (Paraphrasing)	There is too much work done in the world and people should start practicing idleness.
Step 4	**Recite**
요약문 말로 설명하기	

06 하위내용영역 일반영어 A형 기입형　배점 2점　예상정답률 50%　　　　　본책 p.018

모범답안 ⓐ water　ⓑ consumption pattern

채점기준

• 2점 : 모범답안과 같다.
• 1점 : 둘 중 하나만 맞았다
• 0점 : 모범답안과 다르다.

어휘

dairy production 유제품 생산
funnel 이동시키다, 전달하다; 공급하다
per capita 1인당
suffice 충분하다

fraction 부분, 일부
holistic 전체적인
projected population 추정 인구

한글 번역　미국 소비자들은 물에 중독되었다. 미국인들은 하루 평균—세계 평균의 두 배 이상인—2000 갤런(약 3.8리터)의 물을 소비한다. 그러나 이 물 사용의 아주 작은 부분만이 직접적으로 수도꼭지에서 비롯된다. 대다수 물은 간접적으로 소비되는 데, 농업이나 상업적 생산을 위해 공급된다. 이 '물발자국(인간이 사용하는 물의 양을 나타낸 지표)'은—우리가 소비하는 재화나 서비스를 생산하는 데 소비되는 민물의 총량을 설명하는—우리의 물 사용량을 볼 수 있는 가장 전체적인 방식이자 낭비적 물 습관을 확인할 수 있는 가장 중요한 도구이다. 미국인들에 의해 소비되는 엄청난 40%의 물 사용은 고기나 유제품 생산에 사용된다. 가축들은 물을 마셔야만 하며, 농장에도 약간의 물이 사용된다. 그러나 이 대부분의 물은 동물성 사료를 생산하는 데 사용된다. 더욱이, 이 과정에서 오염되는 물을 포함한 미국에서 사용되는 물의 4분의 1은 수출을 위한 물품을 생산하는 데 소비된다. 물의 위기는 또한 전 세계적이다. 추정 인구가 증가하는 속, 인류의 물 사용량이 증대되지 않기 위해서 평균 1인당 물 소비량은 크게 줄어들어야만 한다. 향상된 기술들만으로는 요구되는 물 사용량 감소를 달성하기에 충분하지 않다. 비정상적인 미국의 물 사용 패턴은 다시 숙고할 필요가 있다. 샤워 시간을 줄이는 것만으로 충분하지 않다. 육류를 적게 소비하는 것이—식단에 있어 가장 큰 물 소비자인 – 훨씬 더 효과적이다.

NOTE

Step 1	Survey
Key Words	water footprint; agriculture; commodities for export; consumption pattern
Signal Words	Furthermore; also
Step 2	**Reading**
Purpose	to diagnose the major components of water consumption and suggest alternatives
Pattern of Organization	series
Tone	critical
Main Idea	Water waste is a problem in the U.S., with the majority coming from agricultural and commercial uses.
Step 3	**Summary**
지문 요약하기 (Paraphrasing)	Americans' great water usage happens mostly in agricultural and commercial forms. By examining this usage in depth, it makes it easier to remedy. A large slice of this usage, 40%, is used in agriculture and another 25% goes to support exported goods. As water usage grows worldwide with population growth, conservation has to improve. Technological improvements alone aren't enough, but eating habits that encourage agriculture should change.
Step 4	**Recite**

요약문 말로 설명하기

모범답안 ① Suicide ② adolescence

채점기준
- 2점: 모범답안과 같다.
- 1점: 둘 중 하나만 맞았다.
- 0점: 모범답안과 다르다.

어휘

adolescence 청소년기
by leaps and bounds 급속히; 대폭
epidemic 전염성의
hang oneself 목매달다
make much noise 많이 떠들다
order A out of bed A에게 잠자리에서 일어나라 명령하다
pole-knife 막대 칼
stern 엄격한; 가혹한

breadfruit 빵나무 열매
demanding 요구가 많은
furious 분노한
hang slack 축 늘어뜨리다; 느슨해지다
noose 올가미
rebuke 꾸짖다

한글 번역 얼마 전 남태평양의 메크로네시아에서 17세 소년이 아버지와 말다툼했다. 그 소년의 이름은 시마였다. 시마는 가족과 함께 할아버지 댁에 머물고 있었는데, 그때 아버지—엄격하고 요구가 많은 사람이었다—는 일찌감치 일어나서 빵나무 열매를 수확할 대나무 막대 칼을 찾아오라고 명령했다. 시마는 동네에서 몇 시간을 보냈지만, 대나무 막대를 찾을 수가 없었다. 그가 빈손으로 돌아오자 아버지는 격노했다. 이제 가족 모두 굶게 생겼다고 아들에게 화를 내고 소리 지르면서 날이 넓은 벌채용 칼을 휘둘렀다. "여기서 썩 꺼지지 못해! 다른 데 가서 살 곳이나 알아봐!"

시마는 할아버지 집을 떠나서 자기 동네로 되돌아왔다. 그 길로 그는 자신의 열네 살짜리 동생에게 달려가 펜을 하나 빌려갔다. 두 시간 뒤에 시마가 어디로 갔는지 궁금해진 동생이 그를 찾아 나섰다. 동생은 텅 비어 있는 집으로 돌아와서 창문으로 집 안을 들여다보았다. 어두운 방 한가운데 올가미에 축 처져 있는 것이 보였는데, 시마였다. 그는 죽어있었다.

1960년대 초반만 해도 메크로네시아에서의 자살은 거의 알려지지 않았다. 하지만 누구도 이해할 수 없는 여러 가지 요인으로 인해 어느 날 갑자기 해마다 자살이 급격히 치솟더니, 마침내 1980년대 후반에 메크로네시아의 인구 당 자살률은 세계의 어떤 곳보다 높아지게 되었다. 미국의 15~24세에 이르는 남자들의 자살률은 인구 10만 명당 160명이었다. 이것은 일곱 배나 높은 비율이었다. 이 수준에 이르면 자살은 가장 사소한 사건에 의해서도 폭발되는 일상사가 되어버린다. 시마가 상심한 것은 아버지가 자신에게 고함을 질렀기 때문이다. 이것은 전혀 유별난 일이 아니었다. 이 섬의 10대들은 자기 여자 친구가 다른 남자와 사귄다는 이유로 자살했거나, 자신의 부모님이 그들에게 맥주를 살 몇 달러를 추가로 주는 것을 거절했다는 이유로 자살했다. 열아홉 살의 한 젊은이는 부모가 졸업 가운을 사주지 않는다는 이유로 스스로 목을 맸다. 열일곱 살의 소년은 형에게 너무 시끄럽다는 꾸중을 들었다는 이유로 목매달았다.

NOTE

Step 1	Survey
Key Words	suicide; adolescence; Micronesia
Signal Words	Not long ago; In the early 1960s; until by the end of the 1980s
Step 2	**Reading**
Purpose	to illustrate the serious trend of suicide in Micronesia
Pattern of Organization	narrative (series); time order
Tone	neutral
Main Idea	Suicide rates grew considerably in Micronesia in the 1980s.
Step 3	**Summary**
지문 요약하기 (Paraphrasing)	Suicide rates grew considerably in Micronesia in the 1980s. A Micronesian youth named Sima got very upset in a family fight. This drove him to hang himself. This case is one of many in a growing trend in Micronesia in the 1980s. Many other youths there have committed suicide for seemingly inconsequential reasons.
Step 4	**Recite**

요약문 말로 설명하기

모범답안 ⓐ equal   ⓑ genders(또는 sexes)

채점기준

• 2점 : 모범답안과 같다.
• 1점 : 둘 중 하나만 맞았다.
• 0점 : 모범답안과 다르다.

어휘

a tiny majority 과반수가 간신히 넘는	as yet 그때까지
bar ~을 제외하고	Cubism 입체파
debar 금하다, 제외시키다	Fauvism 야수파
fracas 싸움, 언쟁	It is no good ~ing ~해야 소용없다
not so much A as B A라기 보다는 B	rank with ~와 어깨를 겨누다
sprinkling 드문드문인 모습	walk off with ~를 수월하게 차지하다

한글 번역   중년의 지미 코너스(남성 테니스 선수)가 중년의 마르티나 나브라틸로바(여성 테니스 선수)를 라스베이거스에서 패배시키는 것을 보는 것은 테니스 경기라기보다는 성의 전쟁에서의 싸움과 같았다. 14,000명의 관중은 각각 남성의 우월성 또는 여성의 평등성을 입증하듯 외치며 승리의 환호성과 함께 젠더라인을 따라 나누어져 있었다. 결국에는 비록 코너스가 서브해야 할 공이 하나밖에 남지 않았고, 공을 받아야 할 코트가 3피트 더 넓었음에도 불구하고, 테니스 치는 남성의 최고 경지란 그것의 여성들보다 빠르고, 더욱 강하다는 당연함을 입증하듯 500,000만 달러의 상금을 수월하게 차지했다. 페미니스트들은 이러한 불공평한 상황을 비난할 신 밖에는 없었다.

역사적으로 그때까지 여성들은 창의적이고, 상상력이 풍부하거나 문화적인 노력에 있어 남성들과는 상대가 되지 않았다. 비록 거의 100년 동안 여성들은 서구 사회에서 이러한 활동에 있어 심각하게 제외되지는 않았지만, 그들의 성취들은 남성들이 이룩한 천재성의 기준에는 한참 밑에 있었다. 세계의 시인 중에서 어떤 여성들도 당대 최고와 어깨를 나란히 나누며 당당히 명명될 수 없었다. 위대한 여성 작곡가도 없을 뿐만 아니라 위대한 여성 철학자도 없었다. 심지어 모든 이가 동일한 창의성을 가지고 있다는 증거를 보여줄 수 있다는 회화에 있어서 인상주의, 야수파(1905년부터 파리에서 잠시 유행했던 회화의 한 유파), 초현실주의, 입체파와 추상적 표현주의(2차 대전 이후의 미국 회화의 한 유파)의 영향력 있는 운동에서 소수의 여성만이 발견되었다.

남성중심주의에 대한 분노는 총선거 기간 동안 BBC에 있는 어떤 여성에게도 고위 정치인들과 진지한 인터뷰를 나눌 기회가 주어지지 않았던 것에 대해 항의한 앵커 안나 포드에 의해 표출되었다. "우리는 중년, 중산층, 백인, 앵글로 색슨, 개신교도인 남성의 질문과는 다른 질문을 했었을 것이다."라고 그녀가 말했다. 안나 포드가 여성은 (위에서 말한 남성들과는) 다른 질문을 했었을 것이라 주장하는 것은 아무 소용이 없다. 사실, 그들은 다른 질문을 했었을 수도 있다. 하지만 과반수가 약간 넘는 사람들을 제외하고 누가 그 대답을 듣길 원하겠는가?

NOTE

Step 1	Survey
Key Words	sex war; gender lines; feminists; male domination; culture; news
Signal Words	none
Step 2	Reading
Purpose	to explain limitations of women in many areas in comparison with men
Pattern of Organization	comparison&contrast
Tone	cynical
Main Idea	Women are inferior to men in terms of sports, culture and entertainment.
Step 3	Summary
지문 요약하기 (Paraphrasing)	Women are inferior to men in terms of sports, culture and entertainment. In a tennis match pitting the best male and best female players against one another, the best male won despite a handicap against him. There have likewise been no women equal to men in cultural contributions over the ages. Newsreader Anna Ford complained of women reporters' lack of access to top politicians, but only a small audience would appreciate them.
Step 4	Recite
요약문 말로 설명하기	

모범답안 ① race pride   ② identification

채점기준
• 2점 : 모범답안과 같다.
• 1점 : 둘 중 하나만 맞았다.
• 0점 : 모범답안과 다르다.

한글 번역   미국 흑인의 몸속에 서로 양립하지 못하는 두 개의 영혼이 있다는 개념은 NAACP(전미유색인지위향상위원회)의 공식 기관지인 "Crisis" 지의 편집장으로서 마지막으로 일하던 두보이스에게 20세기 초에 그 이미지('두 개의 서로 양립하지 않는 영혼')를 처음 사용했던 때만큼이나 중요하였다. 인종적 자부심과 국가와의 일체감 사이에 있던 긴장은 1918년 7월 "Crisis" 지에 "간극을 좁히고 단결하자"라는 제목의 사설을 실었을 때 가장 극적으로 드러났다. 그 글에서 두보이스는 흑인들에게 1차 세계대전 동안에 "우리의 특별한 분노를 잊고, 백인들과 함께 민주주의를 위해서 싸우자"라고 주장했다. 흑인들에게 신랄한 비판을 받았지만, 두보이스는 두 달 후 자신의 주장을 거의 굽히지 않았는데, "우선, 우리의 국가, 그런 다음에 우리의 권리가 필요하다"고 그의 독자들에게 주장하였다. 아마도 편집장(두보이스)은 의도 이상으로 'forget'이란 단어를 많이 사용한 것 같다. 왜냐하면 그 전이나 후나 사설을 통해 인종주의에 대한 그의 비판은 전혀 줄어들지 않았기 때문이다. 하지만 그는 연합국과 독일의 야망을 구별하였고 전자의 패배가 그가 충성하던 '세계 연합국'에 있어 비참한 일이라고 주장하였다. 그런데도 두보이스는 흑인으로서 자신의 아름다움을 인정하지 않는 사람들에 의한 부정당하는 인종적 자긍심을 부정하는 것을 위험하다고 보았다. "Crisis" 지의 책무는 인종적 자긍심을 옹호하는 사람들과 인종들 사이의 차이를 부정하는 사람들 사이를 중재하는 것이었다. 이러한 점에서 이 잡지의 노력의 핵심 포인트는 마커스 가비의 출현과 함께하였다. 가비는 자메이카 태생의 뛰어난 흑인 지도자로, "아프리카로 돌아가자" 운동을 주도하였는데, 이 운동은 두보이스에 따르면, "검은 피부는 그 자체로 고귀한 것이다."라는 전제에 기반을 두고 있다.

NOTE

Step 1	Survey
Key Words	black American; Du Bois; race pride; identification with the nation
Signal Words	at the end of his years; when he had first used; July 1918; two months later; with the rise of
Step 2	Reading
Purpose	to describe Du Bois's stance regarding Black American's race pride and identification with the nation
Pattern of Organization	not clear
Tone	neutral
Main Idea	Du Bois was an advocate of seeking proper rights for Black Americans, but also saw the importance of protecting America from the threat of outside dictators.
Step 3	Summary
지문 요약하기 (Paraphrasing)	Du Bois, as an editor of *Crisis*, was an advocate of promoting racial pride for Black Americans, but also saw the importance of supporting America to defeat Germany in war. Criticized for first stating that Black people should "forget" their issues for the war, he later rephrased this to putting the war effort first while retaining pride, which was the focus of *Crisis*.
Step 4	Recite
요약문 말로 설명하기	

02 제목찾기

01 하위내용영역 일반영어 A형 기입형   배점 2점   예상정답률 50%   본책 p.026

모범답안 ① Meditation   ② problems

채점기준

• 2점: 모범답안과 같다. ② difficulties라 했어도 2점 준다.
• 1점: 둘 중 하나만 맞았다.
• 0점: 모범답안과 다르다.

한글 번역 명상은 일상으로부터의 탈출이 아니라 일상을 준비하는 것이며, 놀랄 만한 중요성이 있는 것은 우리가 경험으로부터 돌려주는 것이다. 진주를 채취하는 잠수부들처럼 명상가들은 의식 내면의 바닷속으로 깊이 빠져들고 값진 보석을 갖고 표면으로 헤엄쳐서 돌아오기를 희망한다.

가장 보통의 수준에서 모든 측면을 빛으로 돌리기에 충분히 오랫동안 이슈를 가지고 머무는 방식을 제공함으로써, 명상은 일상의 문제를 해결하는 데 도움이 될 수 있다. 주기적으로 제정신이 아닌 아내와 사춘기를 겪는 문제 있는 세 자녀에 부담을 느끼는 어떤 사람이 어려움이 매우 압박을 가할 때, 그의 유일한 치료는 요트를 가지고 나가는 것이라고 내게 말했다. 떠나면서 그는 말하길, "저는 제 문제들에 관해 생각하지 않아요. 저는 수면 위의 태양에 집중합니다. 바람 속에서 구부러진 돛을 봐요. 때론 바다로 떠나는 다른 모든 이들을 생각하고 그들이 생각했던 것에 대해 궁금해해요. 내가 돌아오는 그때까지, 제 마음은 고요해요. 그 후 저는 사물을 있는 그대로 보기 시작하고 내가 그것들을 다룰 수 있다는 것을 발견해요."

만약 명상이 이 이상 성취하지 못한다면, 그것은 상당한 것을 해낸 것이다. 정신분석학자 에리히 프롬이 캐나다인 청중들에게 연설한 후, 삶의 문제들에 대한 실질적인 해결책에 대해 요청받았을 때, '침묵'이라고 즉시 답했다. "침묵의 경험이죠. 당신이 방향을 바꿀 수 있기 위해선 멈춰야 합니다."

NOTE

Step 1	Survey
Key Words	meditation; concentrate; problems of living; stillness
Signal Words	At the most modest level
Step 2	**Reading**
Purpose	to outline the benefit of meditation
Pattern of Organization	series
Tone	appreciative
Main Idea	Mediation can bring about stillness and calm in order to better face one's problems.
Step 3	**Summary**
지문 요약하기 (Paraphrasing)	Mediation can bring about stillness and calm in order to better face one's problems. This can be by focusing on a problem long enough to face it and move forward. The ability to stop and be calm can lead to moving in a new direction.
Step 4	**Recite**
	요약문 말로 설명하기

01

모범답안 Atomic Theory

채점기준

· 2점: 모범답안과 같다.
· 0점: 모범답안과 다르다.
》 소문자로 답했으면 0.25점 감점한다.

어휘

a sea of 수없이 많은
cathode-ray 음극선
neutron 중성자
positively charged plate 양전화된 판

electron 전자
deflect 방향을 바꾸다
plum-pudding model 건포도 넣은 푸딩 원자모형
proton 양성자

한글 번역 　그리스의 철학자인 데모크리투스는 모든 원자는 작고, 단단한 입자들이라고 말하였다. 그는 원자들이 다른 형태와 크기로 형성되어있는 단일한 물질로 구성되어 있다고 생각하였다. '원자'라는 단어는 '나누어질 수 없는'이라는 의미인 그리스 단어 'atomos'에서 파생되었다. 1803년도에 학교 선생님이었던 존 달톤은 그의 원자적 이론을 소개하였다. 달톤의 이론은 원소들이(오직 한 종류의 원자로 구성되어있는 물질들) 화합물들을 형성하기 위해서 특정한 비율로 결합한다고 주장하였다. 1897년도에 영국의 과학자인 J.J 톰슨은 양성적으로 전기판을 충전시키는 음극선 관을 실험하였다. 전기판은 우리가 현재 전자라고 부르는 음성적으로 충전된 입자들을 끌어들였다. 나누어지지 않는 입자들이 되기보다 톰슨의 원자적 모델은 원자들이 양성적 충전의 특징을 지닌 바다 내에서 묻힌 음성적으로 충전된 전자들을 포함하고 있다고 주장하였다. 1909년도에 어니스트 러더퍼드는 양성적으로 충전된 입자들로 구성된 광선을 얇은 금 포일 시트에 쬐는 실험을 하였다. 대부분의 입자들은 금 포일을 똑바로 관통하였으나, 몇몇 것들은 굴절되고, 이외의 것들은 일직선으로 튕겨져 나왔다. 몇몇 입자들이 일직선으로 다시 튕겨져 나왔기 때문에 러더퍼드는 핵 - 원자의 가운데 있는 것 - 이 양전화되어 있는 매우 작은 것임을 보여줄 수 있었다. 핵은 양전화된 양자들 및 중성적인 중성자들을 안에 포함하고 있었다. 1913년도에 러더퍼드 박사와 함께 연구하였던 덴마크 과학자인 닐스 보어는 전자들이 핵 주위로 일정한 거리 및 에너지 수준을 유지하며 움직인다는 것을 주장하였다. 이 모델은 오스트리아 출신 물리학자 어빈 슈뢰딩거와 독일 출신 물리학자 베르너 하이젠베르크에 의해 개선되었다. 슈뢰딩거와 하이젠베르크는 전자들이 핵 주위의 구체적 거리 내에서 움직이지 않는다는 사실을 주장하였지만, 전자기장이라고 불리는 핵 주위의 지역들 내에서 전자들이 발견되었다.

NOTE

Step 1	Survey
Key Words	atoms; particles; model; atomic; theory
Signal Words	in 1909
Step 2	Reading
Purpose	to chronicle the developing understarding of atoms
Pattern of Organization	time order; definition
Tone	neutral
Main Idea	The understanding of atomic theory has been developed by many scientists.
Step 3	Summary
지문 요약하기 (Paraphrasing)	The theoretical model of the atom has changed with contributions of various minds. These ideas come from Greek philosopher Democritus, John Dalton, J.J. Thomson, Ernest Rutherford, Niels Bohr and Schrödinger. The latest proposed model of the atom is with a center nucleus made of protons and neutrons surrounded by a negatively-charged electron clouds.
Step 4	Recite
요약문 말로 설명하기	

| 03 | 하위내용영역 일반영어 A형 기입형 | 배점 2점 | 예상정답률 65% | 본책 p.030 |

모범답안 Modern Economy

채점기준

• 2점 : 모범답안과 같다.
• 0점 : 모범답안과 다르다.

어휘

aide 도와주다
hydroelectric power 수력 전기 전력
legalization of gambling 도박의 합법화
principal resort areas 주요한 휴양 지역
the Great Depression 대공황

fashionable playground 인기 있는 휴양지
importation 유입, 들여옴
piped-in natural gas 파이프로 연결된 천연가스
reduction to ~로 줄임

한글번역 (미국의) 네바다주는 1930년대 대공황 시기에 지금 경제로의 변화를 시작하였다. 1931년 도박의 합법화 및 이혼에 필요한 거주요건을 6주로 줄이는 입법 이후에 네바다주는 결혼, 이혼, 그리고 휴양 중심지가 되었다. 주요한 휴양지 지역으로는 라스베이거스, 리노, 라플린, 타호 호수 등이 있다. 라스베이거스는 남부 캘리포니아 사람들과 외국 사람들을 유혹하고 있으며 사업 모임이나 전문적인 행사 등을 유치하고 있다. 리노는 샌프란시스코만 연안과 태평양 북서부 지역으로부터 즐거움을 찾아온 많은 사람을 유혹하고 있다. 라플린은 1980년대에 관광 중심지로 부각되었고, 타호 호수는 여전히 인기 있는 휴양지이다. 콜로라도강 후버댐 건설은 남부 네바다주의 경제를 상당히 많이 도와주었다. 이 댐에 의한 값싼 수력전기 전력 공급은 제조업을 활성화하는 길을 열어 주었다. 콜롬비아 강 보네빌 댐에서 오는 수력전기 전력과 파이프로 연결된 천연가스의 유입은 북서부 지역의 산업발전을 가능하게 하였다.

NOTE

Step 1	Survey
Key Words	nevada; tourist
Signal Words	not clear
Step 2	Reading
Purpose	to describe the positive changes brought to Nevada through modernization
Pattern of Organization	cause&effect
Tone	neutral
Main Idea	Nevada has transitioned into a modern economy with several developments.
Step 3	Summary
지문 요약하기 (Paraphrasing)	Nevada has transitioned into a modern economy with several developments. It was possible because Nevada became a resort center caused by the legalization of gambling and the reduced time for divorce and the industrial developments, which was accelerated by hydroelectric power.
Step 4	Recite
	요약문 말로 설명하기

04 하위내용영역 일반영어 A형 기입형　배점 2점　예상정답률 45%　　　　본책 p.032

모범답안　① physical　② Merits

채점기준
- 2점: 모범답안과 같거나 의미가 유사하였다.
- 1점: 둘 중 하나만 맞았다.
- 0점: 모범답안과 다르다.

어휘

abused rule 아주 많이 사용되어지는 규칙
assume ~을 취하다
expressive 풍부한 표현을 하는
mental alertness 정신적인 각성
upright posture 곧은 자세

alert listener 긴장하며 듣는 청자
be not without merit 장점이 없지 않다
in the presence of sb ~의 면전에서
reflexively 본능적으로, 반사적으로

한글 번역　대면하고 있는 상황에서 효과적으로 상대방의 말을 듣는 일반적인 방법은 적극적으로 귀를 기울이는 것이다. 적극적으로 귀를 기울이기 위한 가장 좋은 준비는 육체적 그리고 정신적으로 긴장하며 듣는 청자로서 행동하는 것이다. 많은 사람에게 있어 이 방법은 상대방의 말을 효과적으로 듣기 위하여 가장 많이 이용되는 규칙이다. 가령, 중요한 뉴스에 대하여 몸이 어떻게 자동으로 반응하는지를 회상해보라 : 중요한 뉴스를 듣자마자 몸은 곧은 자세가 되며 움직이지 않으며 조용한 상태로 머물러 있게 된다. 이러한 자세가 가장 효과적으로 말을 들을 수 있는 상태이기 때문에 거의 반사적으로 이러한 자세가 되는 것이다. 이러한 육체적인 긴장 상태보다 더욱더 중요한 것은 정신적인 긴장이다. 청자의 입장일 때에는 정신적으로나 지적으로 대화의 의미를 공유할 수 있는 활동에 참여할 준비가 되어있는 사람처럼 화자와 동등한 파트너로서 대화에 참여하라. 적극적으로 귀를 기울이는 것은 표현을 많이 하는 것을 의미한다. 화자에게 대화 과정에 참여하고 있다는 것을 알게 하라. 비언어적인 방법으로는 눈을 마주치고, 대화 공간에 존재하고 있는 다른 사람들보다 화자에 관심을 집중하고, 얼굴로 당신의 감정을 표현하라. 언어적인 방법으로는 적절한 질문을 하고, 'I see'나 'Yes' 등을 이용하여 당신이 이해하고 있다는 것을 보여주고, 적절한 동의 또는 반대의 의사를 표현하라.
　수동적으로 귀를 기울인다는 것도 나름의 장점을 가지고 있다. 수동적으로 귀를 기울인다는 것—말하지 않고 듣기만 하는 것 또는 화자로 하여금 어느 방향으로 대화를 진행하도록 하지 않고 듣기만 하는 것—은 '수용의 의사'를 표현하는 강력한 수단이다. 이는 "내 말 좀 들어봐"라고 사람들이 말할 때, 화자가 청자에게 요청하는 듣기 방식이다. 화자들은 기본적으로 청자들로 하여금 판단을 잠시 유보하고 '단지 귀를 기울이기'를 요구한다. 수동적으로 귀를 기울이는 것은 자신의 말을 듣지만 이에 대하여 평가를 하지 않는 또는 자신의 말을 지지하지만, 말을 끊지 않는 청자 앞에서 화자가 그의 생각이나 아이디어를 전개하도록 허용해준다. 수동적으로 귀를 기울임으로써 청자는 수용하는 분위기를 조성한다. 이러한 수용적인 분위기가 조성되면 청자는 언어적 혹은 비언어적으로 보다 적극적으로 대화에 참여하기를 희망하게 된다.

01

Step 1	Survey
Key Words	active listening; physically; passive listening
Signal Words	however
Step 2	Reading
Purpose	to explain the function and merits of both active listening and passive listening
Pattern of Organization	comparison&contrast
Tone	persuasive
Main Idea	Active and passive listening both have their important purposes.
Step 3	Summary
지문 요약하기 (Paraphrasing)	Active and passive listening both have their important purposes. Active listening is showing physical and mental alertness along while signaling understanding. On the other hand, passive listening also can be a powerful methods of communicating acceptance by providing a supportive environment.
Step 4	Recite
요약문 말로 설명하기	

05 하위내용영역 일반영어 A형 기입형   배점 2점   예상정답률 60%   본책 p.034

모범답안 Costs

채점기준

• 2점: 모범답안과 같거나 Damages라 했다.
• 0점: 모범답안과 다르다.

어휘

atrophy 위축하다, 쇠약해지다   flip side 반대면, 뒷면
in the long run 긴 안목으로 보면, 결국은   nurturance 애정 어린 돌봄과 배려
take down the walls (마음의) 벽을 허물다

한글 번역   남자다움에 대한 전통적인 관점 때문에 발생하는 비용은 엄청나며, 또한 그 피해는 개인적인 측면과 사회적인 측면에서 발생한다. 소년은 거칠어야(공격적, 경쟁적, 무모해야) 한다는 믿음은 소년에게 감정적인 고통을 줄 수 있다. 몇몇 아이들은 그들의 거침으로 인하여 단기간의 성공을 거두지만, 긴 안목으로 볼 때 이들도 안심할 수가 없다. 대신에 단기간의 성공은 일련의 도전을 맞이하게 되며, 이 도전을 끝까지 이겨내는 소년은 드물다. 소년들이 그 지위를 위하여 경쟁할 때, 가장 높은 위치에 있는 소년은 결코 안심할 수가 없다. 거침은 스트레스, 신체적 손상, 심지어 일찍 죽을 가능성을 높인다. 극단적인 육체적 위험을 감수하고 자발적으로 전투적이고 적대적인 활동에 착수하는 것은 남자다운 것으로 여겨진다. 거침의 정반대 측면인 애정 어린 돌봄과 배려는 남성적인 성질로 인식되지 않기에 가치 있는 것으로 평가되지 못한다. 이 때문에 소년들과 성인 남자들은 다른 사람들과 커다란 감정적 거리감을 경험하게 되며 의미 있는 개인 간의 관계에 참여할 기회를 거의 못 가지게 된다. 연구 결과는 일관되게 다음의 사실을 보여준다. 아버지는 자녀들과 함께 보내는 시간이 적다. 게다가, 남자들은 다른 남자들과 친밀한 관계를 유지하는 경우가 드물더라 말한다. 남자들은 지나치게 친밀해지는 것을 두려워하며 그들 사이에 만들어진 벽을 어떻게 허물어야 하는지 알지 못한다.

Step 1	Survey
Key Words	masculinity; toughness; flip side; costs
Signal Words	create; lead to; leads to; Because of
Step 2	**Reading**
Purpose	to explain the ill effects that encouraging masculinity has on boys and men
Pattern of Organization	cause&effect
Tone	critical
Main Idea	The traditional view of masculinity causes damages to boys and men in terms of personal and societal level.
Step 3	**Summary**
지문 요약하기 (Paraphrasing)	The traditional view of masculinity causes damages to boys and men in terms of personal and societal level. It causes damages to boys' spirits and health by emphasizing toughness, which creates division and emotional distance in interpersonal relationships. Such as through trends like fathers not spending as much time with children contributes to creating distance for men later in life.
Step 4	**Recite**
요약문 말로 설명하기	

모범답안 True Father of Aviation

채점기준

• 2점 : 모범답안과 같거나 의미가 유사하였다.
• 0점 : 모범답안과 다르다.

어휘

aviation 항공
craft 비행기
eyewitness 목격자

catapult 비행기 사출기
credit 믿다
launch 내보내다, 착수하다, 날아가다

한글 번역 윌버와 오빌 라이트는 보통 비행기를 날린 최초의 사람들로 인정받는다. 1903년 12월 17일 노스 캐롤라이나주 키티 호크에서 오빌은 이 형제의 새로운 발명품으로 12초 동안 비행했다. 그러나 어떤 사람들은 실제로 자신의 엔진 동력이 달린 비행 기계를 제작했던 뉴질랜드 농부 리차드 피어스가 라이트 형제의 비행 8개월 전인 1903년 3월 31일에 그의 비행기를 상공으로 50 야드를 날렸을 때가 최초라고 주장한다. 다른 이들은 구스타프 화이트헤드가 최초의 동력 비행으로 평가받을 자격이 있다고 주장한다. 눈으로 직접 본 목격자의 설명과 같은 증거가 부족하기는 하지만, 화이트헤드는 아마도 라이트 형제의 비행보다도 2년 이상 앞서는 1901년 8월 14일에 코네티컷주 브리지포트에서 최초로 자신의 비행기를 날렸을 것이다. 그리고 브라질 사람인 알베르토 산토스 두몬트가 1906년 10월 23일 자신의 발명품으로 50m를 날았을 때 동력 비행에 성공한 최초의 사람이라고 주장하는 이들이 있다. 라이트 형제가 (새총 원리의) 비행기 사출기로 그들 비행기를 공중에 띄웠고, 바퀴가 있던 산토스 두몬트의 비행기는 그 자체의 동력으로만 이륙했기 때문에 그의 조국 사람들은 그가 실제로 진정한 항공의 아버지라고 믿는다.

Step 1	Survey
Key Words	the first to fly an airplane; true father of aviation
Signal Words	However; some people; Others; there are those who
Step 2	**Reading**
Purpose	to illustrate the disagreements around who was the Father of Aviation
Pattern of Organization	series
Tone	objective
Main Idea	There are some who argue that the Wright brothers were not the first to fly an airplane.
Step 3	**Summary**
지문 요약하기 (Paraphrasing)	There are some who argue that the Wright brothers were not the first to fly an airplane. New Zealander Richard Pearse, Gustave A. Whitehead and Brazilian Alberto Santos-Dumont are argued by people to have instead been the first to fly.
Step 4	**Recite**

요약문 말로 설명하기

01 　하위내용영역 일반영어 A형 기입형 　배점 2점 　예상정답률 35% 　본책 p.038

모범답안 　ⓐ involuntary attention 　ⓑ attention

채점기준

• 2점 : 모범답안과 같다.
• 1점 : 둘 중 하나만 맞았다.
• 0점 : 모범답안과 다르다.

한글 번역 　유명한 철학자 윌리엄 제임스가 자발적 집중과 비자발적 집중 간의 차이를 주장했다. 우리가 교통량이 많은 교차로를 지날 때는 자발적이고 유도된 집중력의 한정된 비축량을 소모하는 중이다. 해결책은 어두운 방에 조용히 앉아있는 것이 아니다. 환경은 우리의 비자발적 집중, 곧 흥미(심취)를 작동시키기 위한 종류의 자극을 가져야 한다. 도시 환경은 분명 비자발적 집중(타임스퀘어에서 경적을 울리는)을 유도하지만, 더 중요한 자발적 집중을 요구하는 너무 엄격하고 독단적인 방식이다. 반면, 자연환경은 부드럽게 흥미를 유발하는 자극을 제공한다. 우리의 눈은 나뭇가지의 모양이나 물의 잔물결에 사로잡히고, 마음이 뒤따른다.

한 저명한 학자가 연구를 시행했다. 그는 지원자들을 수목원과 도시 거리 중 한 곳에서 50분간 걷게 한 뒤, 그들에게 인지 평가를 주었다. 자연 산책을 했던 사람들은 반대의 사람들보다 기억력과 집중력 테스트에서 약 20% 더 나은 수행을 했다. 비록 점수에 영향을 주진 않았지만, 그들은 또한 더 나은 분위기에 속한 경향이 있었다. 하지만, 사람들이 이익을 얻기 위해 자연과의 상호작용을 꼭 해야 할 필요는 없다. 몇몇 산책은 6월에 진행된 반면 다른 것들은 1월에 진행되었다. 대부분의 사람은 혹독한 미시간의 겨울에 산책하는 것을 특별히 즐기진 않았지만, 그들의 점수는 여름에 시도한 것만큼 많이 상승했다. 당연히 유도된 집중력을 가장 소모한 사람들이 가장 큰 이익을 얻는 것처럼 보인다. 일과를 마치고 자연에서 뛰노는 것은 아침에 하는 첫 번째 것보다 더 강력한 회복의 효과가 있고, 그 상승폭이 임상 우울증 진단을 받은 사람들 속에서는 다섯 배 더 크다.

NOTE

Step 1	Survey
Key Words	(in)voluntary attention; natural environments; walks; cognitive assessment
Signal Words	Those who had⋯; However; Not surprisingly
Step 2	Reading
Purpose	to demonstrate the cognitive benefits of walking in nature
Pattern of Organization	compare&contrast
Tone	neutral
Main Idea	Walking in nature helps improve mood and cognition as natural environments elicit involuntary attention.
Step 3	Summary
지문 요약하기 (Paraphrasing)	Walking in nature helps improve mood and cognition as natural environments elicit involuntary attention. Cities deplete one's voluntary attention, but the beneficial elicitation of one's involuntary attention is found in nature, even during unpleasant seasons.
Step 4	Recite
요약문 말로 설명하기	

모범답안 ⓐ high-temperature superconductors   ⓑ magnetic sails

채점기준
- 2점 : 모범답안과 같다. 이외는 답이 될 수 없다.
- 1점 : 둘 중 하나만 맞았다.
- 0점 : 모범답안과 다르다.

한글 번역 태양광만이 태양으로부터 나오는 강력한 힘은 아니다. 태양풍으로 알려진 또 다른 힘이 있다. 태양풍은 플라즈마, 양자, 그리고 전자로 이루어진 덩어리인데, 초속 약 500m의 속도로 태양에서 모든 방향으로 지속해서 쏟아져 나온다. 우리가 지구에서 이것을 절대 마주하지 않는 것은 지구의 자기권에 의해 보호받기 때문이다.

지구의 자기권이 태양풍을 막는다면 그것은 틀림없이 장애물을 형성하는 중이고, 그 결과 물리력을 느껴야 한다. 그렇다면 우주선에 인공 자기권을 만들고 추진력을 위해 같은 효과를 사용하는 것은 어떨까? 이것이 보잉사 엔지니어인 다나와 내가 1988년에 생각했던 아이디어였다. 그건 시기적절했다. 1987년 고온 초전도체가 발견되었다. 이것은 자기 추진력 장치를 실현 가능하게 만드는 데 있어서 필수적이었는데, 저온 초전도체는 너무 많은 무거운 냉각 장치가 필요하고 일반 전도체는 너무 많은 힘이 필요하기 때문이다. 태양풍의 평방 km당 물리력의 총합은 심지어 태양광으로 만들어진 것보다 훨씬 더 적었지만, 자기장에 의해 막히는 면적은 다른 어떤 실용적인 고체 태양돛보다 훨씬 더 크게 형성될 수 있었다. 다나와 내가 협력하면서 수식을 고안했고, 커다란 자기장을 형성하는 우주선에 영향을 주는 태양풍의 컴퓨터 시뮬레이션을 운영했다.

우리 결과는 다음과 같다. 니오븀 티타늄 같은 최신의 저온 초전도체만큼의 밀도로 전류를 보낼 수 있는 실용적인 고온 초전도체 케이블이 만들어진다면, 10미크론 두께의 태양 돛보다 100배 더 좋은 추력 중량비를 가진 자기장 돛, 혹은 마그세일이 만들어질 수 있을 것이다. 더욱이, 아주 얇은 태양 돛과는 다르게 자기장 돛은 사용하기가 어렵지 않다. 얇은 플라스틱 필름으로 만드는 대신에 자기장 돛은 뭉툭한 케이블로 만들어지는데, 자기력 때문에 전류가 들어가자마자 자동으로 자신을 뻣뻣한 고리 모양으로 부풀린다.

NOTE ▶

Step 1	Survey
Key Words	solar wind; propulsion; superconducting; magnetic sails
Signal Words	not clear
Step 2	**Reading**
Purpose	to describe how magsails could work using solar wind
Pattern of Organization	not clear
Tone	neutral
Main Idea	Solar wind is a force that could be harnessed for propulsion using magnetic sails.
Step 3	**Summary**
지문 요약하기 (Paraphrasing)	Solar wind is a force that could be harnessed for propulsion using magnetic sails if high-temperature superconducting cables of the proper density are developed. These sails would be filled and driven by solar wind.
Step 4	**Recite**

요약문 말로 설명하기

모범답안 married

채점기준
- 2점 : 모범답안과 같다. 이외는 답이 될 수 없다.
- 0점 : 모범답안과 다르다.

한글 번역 　시민적 자유의 한 쟁점 사항으로써 아버지의 권리는 누군가의 가부장적 특권에 대한 터무니없는 한탄처럼 보인다. 그건 반페미니스트적인 것 같다. 비욘세가 무슨 노래를 부르든지, 세상을 지배하는 것은 대부분 남성이다. 하지만 정부와 기업에 있어서 남성의 우세, 임금과 가계 책임에서의 (남녀 간의) 차이, 심지어 지속적인 성폭행의 위험성에도 불구하고, 남성 불평등의 실제 사례들이 무시되어선 안 된다.

　미혼 남성들은 양육 결정과 양육권 결과에 있어서 거의 보장을 받지 못한다. 법적으로 미혼남성의 출산과 자녀에 대한 결정권의 정도는 성행위 수준에서 멈춘다. 그 이상으로, 어머니가 방문권이나 입양 가능에 대한 결정을 내릴 수 있는 대부분의 영향력을 가진다. 이유는? 법과 사회 관습은 미혼 남성이 친밀한 관계에 있어서 헌신, 안정, 혹은 책임에 대해 아무 관심이 없을 거라고 가정하기 때문이다.

　물론 개인과 기관들은 아버지가 무책임하기 때문에 어머니와는 다르게 대우받아야 한다는 것을 '증명'하는 이야기와 통계가 있다. 오래된 법은 다음 가정의 예증이 된다. 자녀의 어머니가 죽는다면 법은 미혼 남성이 선천적으로 부적합하고, 능력이 없고, 불안정하다고 여기기 때문에 그들은 그에 대한 양육권을 잃을 것이다. 대다수의 주에서, 출생 전에 기적적으로 추정 상 아버지로서 등록하지 않는다면, 심지어 입양조차 생부에 대해 알지 못해도 진행될 수 있다.

　하지만 단지 결혼하지 않았다는 이유만으로 모든 미혼 남성을 낙오자로 특정 짓는 것이 공정한가? 남성이 공정한 처사를 원한다고 해서 이것이 근본적으로 그들이 여성의 평등이나 발전에 반대하는 것을 의미하지 않는다. 언제나 보편적으로 페미니스트, 전 부인, 모든 여성에게 욕설을 내뱉는 신물 나고, 화나고, 격렬한 남성에 대한 나쁜 사례들은 존재한다. 하지만 모든 아빠가 방랑자는 아니다. 남성이나 파트너로서 단순하고 적절한 과정을 거친 권리를 원하는 규칙적이고, 성실하고, 멋진 녀석들도 있다.

01

Step 1	Survey
Key Words	male inequality; custody; unmarried men; characterize
Signal Words	But despite; Legally
Step 2	Reading
Purpose	to show how male inequality regarding children exists
Pattern of Organization	series
Tone	concerned
Main Idea	Male inequality does exist in terms of unmarried men's rights regarding their children.
Step 3	Summary
지문 요약하기 (Paraphrasing)	Male inequality does exist in terms of unmarried men's rights regarding their children in both laws and social practice. Laws favor mothers completely in the past and today. Socially, men are viewed as "deadbeats" but some fathers desire to have their rights and involvement.
Step 4	Recite

요약문 말로 설명하기

모범답안 utility

채점기준

- 2점 : 모범답안과 같거나 usefulness, good으로 했어도 맞는 것으로 한다. 하지만 goodness는 답이 될 수 없다.
- 0점 : 모범답안과 다르다.

한글 번역　개인의 자유가 감소하는 현상은 계속될 가능성이 크다. 왜냐하면 그렇게 된 데는 두 가지 지속적인 원인이 있기 때문이다. 하나는 현대적인 기술이 사회를 좀 더 조직적으로 만든다는 것이고, 다른 하나는 오늘날 사회학이 제공하는 지식 덕분에 어떤 사람의 행위가 타인에게 유익하거나 유해하게 되는 인과의 법칙들을 사람들이 점점 더 많이 알아차리게 되었다는 것이다. 만일 미래의 과학 사회에서 어떤 특정한 형태의 개인적 자유를 정당화하고자 한다면, 그 논의는 대부분의 경우 해당 행위들이 그 행위자를 제외한 그 누구에게도 영향을 안 미친다는 근거에서가 아니라, 그런 형태의 자유가 사회 전체의 이익에 도움이 된다는 근거에서 출발해야만 할 것이다.

더는 옹호할 수 없어 보이는 전통적인 몇 가지 원칙들을 예로 들어보자. 내게 떠오르는 첫 번째 사례는 자본 투자에 관한 것이다. 오늘날에는 누구나 돈이 있으면 크게 간섭받지 않고 자기가 선택한 대로 그 돈을 투자할 수 있다. 이 자유는 최고의 수익을 보장하는 사업이 늘 사회적으로도 가장 유용하다는 근거에서 무간섭주의의 전성기 동안 옹호되었다. 오늘날 감히 그런 신조를 주장할 사람은 거의 없을 것이다. 그런데도 그 낡은 자유는 존속하고 있다. 과학 사회에서 자본은 가장 높은 수익을 올리는 곳이 아니라 사회적 유용성이 가장 큰 곳에 투자될 것이 분명하다. 수익률의 확보는 아주 부수적인 환경에 의존하는 경우가 흔하다.

NOTE ▶

Step 1	Survey
Key Words	liberty; modern society; invest
Signal Words	On the one hand; The first example; At present,
Step 2	Reading
Purpose	to show problems with the liberty to freely invest in modern society
Pattern of Organization	not clear
Tone	critical
Main Idea	There should be restrictions on the liberty to invest.
Step 3	Summary
지문 요약하기 (Paraphrasing)	There should be restrictions on the liberty to invest. Though in the past this was seen as an acceptable liberty, the emphasis on profit in modern society can be harmful.
Step 4	Recite
요약문 말로 설명하기	

모범답안　concordant

채점기준

• 2점: 모범답안과 같다. concordantly도 맞는 답으로 한다.
• 0점: 모범답안과 다르다.

한글 번역　대마초는 유명한 기분 전환 약물이며, 그것의 법적 지위는 지속적인 논쟁의 대상이 되어왔다. 최근 연구에서, 데이비드 팔리아초 박사와 공저자들은 대마초 흡입이 뇌 용량과 연관이 있는지 밝히기 위해 쌍둥이/형제자매 그룹으로부터의 데이터를 분석했다. 어떤 중요한 차이가 선천적인/가족성의 혹은 인과 관계의 요소에 기인하는지 밝히기 위해 쌍둥이/형제자매 간에서 뇌 용량을 비교했다. 241쌍의 쌍둥이/형제자매 중에서 89쌍이 대마초 노출에 불일치했고, 81쌍은 일치했으며 71쌍은 양쪽 다 대마초에 노출되지 않았다. 모든 482명의 연구 참가자 중, 대마초 노출이 더 작은 왼쪽 편도와 오른쪽 복부 선조 용량과 연관이 있었다. 용량 차이는 정상 변동 범주 내에 있었다.

　하지만, 뇌 용량은 대마초 노출에 불일치한 형제자매 간에 차이가 없었다. 노출된 쪽과 노출되지 않은 쪽 모두 대마초에 노출되지 않은 쌍과 비교해서 더 작은 편도 부피를 보여줬다. "노출에 대해 단순한 지표(경험 있음 vs 전혀 없음)를 사용했을 때, 우리는 편도 부피에 대한 대마초 노출의 인과 영향을 보여주는 증거가 없음을 발견했다. 대마초와 관련된 다양한 수준의 신경 변화를 뒷받침하는 인과적 및 선천적 요인의 역할을 특정 지을 추후 연구는 약물 남용 정책과 방지 프로그램에 대한 목표를 제공해줄 것이다."라고 저자들은 결론 지었다.

NOTE

Step 1	Survey
Key Words	Cannabis; twin/sibling pairs; brain volumes
Signal Words	However; Both; the authors conclude
Step 2	**Reading**
Purpose	to outline results of a study on cannabis' effects on brain volumes
Pattern of Organization	compare&contrast
Tone	informative; neutral
Main Idea	A study on cannabis exposure on twin/sibling pairs shows no evidence for it changing brain volume.
Step 3	**Summary**
지문 요약하기 (Paraphrasing)	A study on cannabis exposure on twin/sibling pairs shows no evidence for it changing brain volume.
Step 4	**Recite**
	요약문 말로 설명하기

모범답안 ⓐ liberty   ⓑ theoretical

채점기준

• 2점 : 모범답안과 같다. 이외는 답이 될 수 없다.
• 1점 : 둘 중 하나만 맞았다.
• 0점 : 모범답안과 다르다.

한글 번역 자유의 축소를 제안할 때에는 전혀 다른 두 가지 의문을 항상 고려해야 한다. 첫째는 만일 그러한 축소가 현명하게 수행된다면, 그것이 대중의 이익에 부합할 것인지 여부이다. 그리고 둘째는 만일 그러한 축소가 일정 정도의 무지와 몽니로 수행되더라도, 그것이 대중의 이익에 부합할 것인지의 여부이다. 이 두 가지 의문은 이론적으로 완전히 다르다. 그러나 정부의 관점에서라면 두 번째 의문은 존재하지 않는다. 왜냐하면 모든 정부는 자신들이 무지나 몽니와는 전혀 거리가 멀다고 믿기 때문이다. 결과적으로, 전통적인 선입관 때문에 제약을 받는 일만 없다면, 모든 정부는 현명하게 처리할 수 있는 수준 이상으로 자유를 더 많이 간섭화하고자 할 것이다. 따라서 어떤 식으로 자유를 간섭하는 것이 이론적으로 정당화될 수 있는지 고려하고 있을 때도, 너무 성급하게 그러한 간섭이 실제로 옹호되어야만 한다는 결론을 끌어내서는 안 된다. 그렇지만 나는 언젠가는 이론적인 정당화가 가능한 한 거의 모든 경우마다 자유의 간섭이 현실적으로 실행될 확률이 높다고 생각한다. 왜냐하면, 과학 기술은 정부를 점점 더 강하게 만들고 있어서 굳이 정부가 외부의 여론을 고려할 필요가 없기 때문이다. 그로 인해 장차 정부는 자기들 내부적인 견해 중에 개인의 자유를 간섭할 수 있는 좋은 이유가 있기만 하면 언제든 그 일에 나서게 될 것이고, 방금 제시한 바로 그 이유로 그런 간섭은 꼭 필요한 경우보다 훨씬 더 자주 일어나게 될 것이다. 이런 이유로 과학 기술은 세상을 정부의 독재로 이끌어갈 가능성이 높고, 그것은 곧이어 큰 폐해가 될 수도 있다.

NOTE

Step 1	Survey
Key Words	curtailment; liberty; governments; tyranny
Signal Words	first; When; therefore; The result of this; For this reason,

Step 2	Reading
Purpose	to show the concerns with increased interference in liberties by governments
Pattern of Organization	cause&effect; series
Tone	alert; concerned
Main Idea	The allowance of government interference and improvement of scientific technique may lead to concerning government tyranny.

Step 3	Summary
지문 요약하기 (Paraphrasing)	The allowance of government interference and improvement of scientific technique may lead to concerning government tyranny.

Step 4	Recite
요약문 말로 설명하기	

07 하위내용영역 일반영어 A형 기입형   배점 2점   예상정답률 45%   본책 p.050

모범답안 ⓐ communication   ⓑ contact

채점기준
- 2점 : 모범답안과 같다. 이외는 답이 될 수 없다.
- 1점 : 둘 중 하나만 맞았다.
- 0점 : 모범답안과 다르다.

한글 번역 피진어과 크리올어는 의사소통을 위해 언어를 공유하지 않지만 피진어가 이 목적을 위해 선택된 이미 존재하는 언어 또는 방언으로서 출발하지 않는다는 점에서는 국가 및 국제 언어와는 다른 사람들의 필요에 따른 결과이다. 피진어는 오히려 두 언어의 특별한 조합이다.

피진어는 공용어를 갖지 않은 사람들 사이에서 특정한 제한된 의사소통의 필요성을 충족하기 위해 생겨난 그리 중요치 않은 언어이다. 연락의 초기 단계에서, 의사소통은 종종 생각의 세밀한 교환이 요구되지 않고 한 언어로부터 거의 독점적으로 나온, 적은 어휘로 충족되는 거래로 제한된다. 피진어의 통시적 구조는 연락을 위한 언어의 구조보다 덜 복잡하고 덜 유연하다. 그래서 비록 많은 피진어 특성이 연락을 위한 언어 용법을 명백히 반영하지만, 다른 특성들은 피진어 특유의 특성이다.

크레올어는 피진어가 한 언어 공동체의 모국어가 될 때 생긴다. 피진어의 특성을 나타내는 단순한 구조는 크레올어에도 영향을 미치지만, 모국어로서 크레올어는 인간 경험의 모든 범위를 표현할 수 있어야 하기 때문에 어휘는 확장되고 종종 더 정교한 통사구조가 발전한다. 크레올어가 종종 '진짜' 언어로서 여겨지지 않고 결과적으로 열등한 것으로 간주되기 때문에 예를 들어 프랑스어나 영어가 둘 다 피진어의 결과일 수 있다는 점은 주목할 만하다. 첫 번째 경우엔 토종 갈리아족 사람들과 점령국 로마 사람들 사이의 접촉을 통해, 두 번째 경우엔 토종 앵글로색슨족과 잉글랜드의 동쪽 해안에 거주했던 데인족 사이의 접촉을 통해서이다.

NOTE ▶

Step 1	Survey
Key Words	pidgin; creole; mother tongue
Signal Words	A pidgin is···; A creole arises when···; for example
Step 2	Reading
Purpose	to define the development and qualities of pidgins and creoles
Pattern of Organization	definition; compare&contrast
Tone	neutral
Main Idea	Pidgin is a marginal language based on an existing language and creole is an expanded result of a pidgin becomes the mother tongue of a speech community.
Step 3	Summary
지문 요약하기 (Paraphrasing)	Pidgin is a marginal language based on an existing language and creole is an expanded result of a pidgin becoming the mother tongue of a speech community. Pidgin has a less complex and less flexible syntactic structure that reflect their source languages. Creole has an expanded lexicon but is often considered inferior, but it should be noted that French and English may have come from pidgins.
Step 4	Recite
	요약문 말로 설명하기

모범답안 giraffes evolved

채점기준
• 2점 : 모범답안과 같다. 이외는 답이 될 수 없다.
• 0점 : 모범답안과 다르다.

한글 번역 기린의 목은 다른 포유류와 그렇게 다르지 않다. 인간의 것처럼 7개의 경추골이 있지만, 그것들이 훨씬 더 클 뿐이다. 기린이 그들의 긴 목을 진화시킨 방법은 진화론의 초기로 거슬러 올라가서 오랫동안 논쟁의 대상이었다. 예를 들어 프랑스 동식물 연구자인 장 바티스트 라마르크는 그 동물들이 나무에 높이 달린 잎들에 닿기 위해 목을 쭉 뻗으면서 그것을 더 길게 만들어주는, 목 안에서 흐르는 어떤 '신경 유동체' 덕분에 기린의 목이 길어졌다고 주장했다. 기린의 후손이 더 긴 목을 물려받고 훨씬 더 높은 잎에 닿고자 목을 뻗고, 그 훨씬 더 긴 목을 물려받았을 것이다.

하지만 그건 진화가 작동하는 방식이 아니다. 더 긴 목을 가진 동물들이 일종의 이점을 가지고 그들의 유전자를 전달할 수 있어서 결국 매우 기다란 목을 가진 동물이 되었다. 단지 그 이점이었을지 모르는 것이 여전히 알려지지 않았다. 아마 그 특징으로 인해 기린이 나무 꼭대기에 높이 달린 더 많은 식량 자원에 도달할 수 있었다. 하지만 암컷 기린들은 더 긴 목을 가진 수컷을 선호했기 때문에 성적 선택 역시 관련이 있을 것이다.

하지만 그 진화가 무엇 같은가? 언제 그것이 일어났는가? 이런 질문들에 대한 이해는 멜린다 다노위츠에 의해 이루어진 연구로부터 나와서 동료들이 11종의 동물들─멸종된 9종과 현대 기린, 그리고 오카피(얼룩말과 사슴 사이의 혼종처럼 생겼지만 기린과 같은 과)─로부터 나온 경추골을 분석했다.

기린이 그들의 가계에서 긴 목을 가진 첫 번째 종이 아님이 밝혀졌다. 그들은 단지 가장 긴 목을 가졌을 뿐이다. 그 종은 750만 년 전에 처음 나타났을 때, 더 짧은 목을 가지고 시작되었고 후에 목이 훨씬 더 길어졌다. 하지만 그 늘어남은 기린의 가계에서 훨씬 일찍 시작되었음이 화석 분석을 통해 밝혀졌다.

NOTE

Step 1	Survey
Key Words	neck of a giraffe; evolutionary theory; sexual selection
Signal Words	That's not how…; But since; it turns out…

Step 2	Reading
Purpose	to show how understanding of the Giraffe's long neck has changed over time
Pattern of Organization	series
Tone	informative
Main Idea	The neck of a giraffe has been the subject of consideration over time.

Step 3	Summary
지문 요약하기 (Paraphrasing)	The neck of a giraffe has been the subject of consideration over time. Naturalist Jean Baptiste Lamarck theorized that the neck lengthened through stretching to reach higher leaves and this trait was passed on and expanded by offspring. However, evolution works when a trait with an advantage is passed on, which in the case of a giraffe's neck could be by the reaching of higher leaves or attracting more females. A study into the giraffe's evolution showed that they are not the first in their lineage to have a long neck, just they started lengthening the earliest.

Step 4	Recite
	요약문 말로 설명하기

모범답안 children

채점기준
- 2점: 모범답안과 같다.
- 0점: 모범답안과 다르다.

한글 번역 | 아이들은 매우 쉽게 새로운 언어를 배운다, 아주 쉽게 말이다. 대부분의 어른에게 외국어는 상당히 어렵다. 어른들은 새로운 언어 능력을 조금이라도 습득하기 위해서 애쓰고 분투하며 오랜 시간 동안 노고를 아끼지 않아야 한다. 하지만 아이들은 느닷없이 언어를 익히는 듯이 보인다. 언어를 배우는 것은 아이들에게 일이 아니라 놀이일 뿐이다. 그리고 성인 학습자들을 더욱더 좌절시키는 것은 아이들의 언어 놀이의 결과가 어른들의 언어 공부의 결과보다 낫다는 것이다. 그것은 공평해 보이지 않는다. 이러한 현상을 설명하는 일반적인 이론이 있는데, 이것은 신이 어린아이들에게 새로운 언어를 습득하는 마법 같은 능력을 선사했다는 것이다. 이러한 능력은 서서히 사라지고 성인이 새로운 언어를 배워야 할 시점에는 완전히 사라진다. 이 이론은 두 가지 이유에서 매력적이다. 첫째, 이 이론은 현상을 설명한다. 이 이론에 따르면 그러한 마법은 유년 시절에 한정되기 때문에 아이들은 새로운 언어를 쉽게 습득하고 성인들은 그렇지 못하다. 그리고 두 번째, 이 이론은 성인 학습자가 그들의 운명을 받아들이도록 도와준다. 그러한 마법이 사라지고 나면, 이제는 새로운 언어를 배울 수 있는 다른 방법이 없다는 것을 깨닫고서, 그들이 어려운 공부에 전력을 기울이기가 조금 더 쉬워지는 것이다.

NOTE

Step 1	Survey
Key Words	children; adults; learn a new language; theory
Signal Words	but; first; second
Step 2	**Reading**
Purpose	to introduce a theory explaining the discrepancy in ability to learn new languages between children and adults
Pattern of Organization	comparison&contrast; cause&effect
Tone	neutral
Main Idea	Children learn new languages much easier than adults, for reasons that no one is certain.
Step 3	**Summary**
지문 요약하기 (Paraphrasing)	Children learn new languages much easier than adults, for reasons that no one is certain. The theory that this is a God-given ability is convenient because it explains the reason children can learn and motivates adults to study hard in compensation.
Step 4	**Recite**
	요약문 말로 설명하기

10 하위내용영역 일반영어 A형 기입형　배점 2점　예상정답률 50%　　　　　　본책 p.056

모범답안　① energy　② jobs

채점기준

• 2점: 모범답안과 같다.
• 1점: 둘 중 하나만 맞았다.
• 0점: 모범답안과 다르다.

한글 번역　전기는 빛처럼 초속 30만 킬로미터로 매우 빠르게 이동한다. 이것은 금속선을 통해 쉽게 흐른다. 특히, 구리와 은은 매우 좋은 전도체이다. 전기는 또한 대부분의 물체를 통해 흐를 때 열을 생산한다. 이것은 많은 다른 기술들을 이용하여 쉽게 통제되고 유용하게 된다. 전기는 많은 다른 종류의 에너지로 전환될 수 있기 때문에 매우 유용하다. 전기는 전구를 밝혀서 빛이나 심지어 열이 나는 코일을 이용해서 열로 전환될 수 있다. 그것은 운동 혹은 심지어 저장된 화학 에너지로 전환될 수 있다. 전기는 상품을 생산하거나 서비스를 공급하고 물체와 사람들을 운송하는 등 어느 곳에나 사용된다. 전기는 또한 상업, 농업, 의학, 통신, 연예, 그리고 다양한 다른 분야에서 사용된다. 전기 사용법의 확장은 꾸준히 개발되고 있다. 전기는 에너지를 공급해 줄 뿐 아니라 일거리도 제공한다. 총 510,595의 노동자들이 1990년 말 전력선 수리하기에서 전기 고객에 대한 정보제공, 새로운 발전소 건설과 같은 넓은 범위의 다양한 직업의 전기사업체에 의해 고용되어 있다.

Step 1	Survey
Key Words	electricity; useful; jobs
Signal Words	also; not only...also
Step 2	**Reading**
Purpose	to explain the usefulness of electricity
Pattern of Organization	series
Tone	neutral
Main Idea	Electricity is very useful and helpful for human beings.
Step 3	**Summary**
지문 요약하기 (Paraphrasing)	Electricity is useful and helpful for human beings. Its use comes from being easily converted into many forms of energy and used in many technologies. Likewise, it creates many jobs.
Step 4	**Recite**

요약문 말로 설명하기

11 하위내용영역 일반영어 A형 기입형 　배점 2점 　예상정답률 50% 　　　　　본책 p.058

　모범답안　 poet

　채점기준　
- 2점 : 모범답안과 같다.
- 0점 : 모범답안과 다르다.

> 　한글 번역　 그들 중 하나는 당신이 정말로 흥미로우면서도 해결 가능한, 그래서 그것을 해결하기 위해서 목성 탐험을 기다릴 필요가 없는, 그러면서도 중요한 문제를 찾아낼 수 있어야만 한다는 것이다. 그것들은 남극 대륙에 있거나 화성의 표면에 있는 것이 아니다. 그것들은 바로 우리 주위에 있다. 나는 바로 이 건물에서 블랙홀에 대한 놀라운 대화를 들었다. 드위넬(미국 버클리대학에 있는 건물 이름)에 있는 모든 강의실마다 수십억의 미세한 블랙홀이 있을지도 모른다. 이것은 창의적인 대화였다. 우리가 모르는 것이 바로 우리 주위에 있다는 것을 알 수 있다. 물고기가 세상을 연구하기 위해 나간다면 그것들이 결코 발견해 내지 못할 것은 바로 대양일 거라고 한때 누군가가 말했다. 왜냐하면 우리는 일상의 것에 너무 몰두해 있기 때문이다. 과학자들은 과학 종사자들과 매우 다르다. 사회가 '과학자'라고 부르는 대부분의 사람은 내가 '과학 종사자'라고 부르는 사람들이다. 과학자들은 시인과 매우 많이 비슷하다. 당신은 오후에 깨어 있는 상태로 누워서 당신의 최상의 작업을 한다. 당신은 꿈을 꾸고, 되는대로 생각을 하고, 당신이 이해하지 못하는 것에서 동기를 얻고, 다양한 곳에서 수집한 정보에서 약간 벗어나고, 아이디어를 얻는다. 그리고 이러한 아이디어는 시와 같다. 의사이기도 했던 존 키츠는 갑자기 아름다운 시 한 줄이 그의 머릿속에서 떠오르곤 했다. 나는 그것이 진정한 과학자들이 일하는 방식이라고 생각한다.

NOTE

01

Step 1	Survey
Key Words	scientists; poets
Signal Words	like; what I call
Step 2	**Reading**
Purpose	to explain what makes a real scientist
Pattern of Organization	definition; comparison&contrast
Tone	subjective (persuasive)
Main Idea	A scientist must look closely at the world around him and be inspired to solve a problem which is right around us. In this way they are like poets, inspiration comes out of chaos for them.
Step 3	**Summary**
지문 요약하기 (Paraphrasing)	A scientist must look closely at the world around him and be inspired to solve a problem which is right around us. In this way they are like poets, inspiration comes out of chaos for them.
Step 4	**Recite**

요약문 말로 설명하기

모범답안 ① individual   ② succeed

채점기준
- 2점 : 모범답안과 같다.
- 1점 : 둘 중 하나만 맞았다.
- 0점 : 모범답안과 다르다.

한글 번역   20세기 초는 개인과 사회의 역할을 재정의하기 시작했던 사회의 급속한 산업화와 기술적인 변화의 시대로 특징된다. 막스 베버와 지그문트 프로이드는 이러한 관계의 중요성을 인식하고 사회와 개인의 힘의 균형이 하나의 특정한 방향이나 다른 쪽으로 치우치는지를 알아내려고 노력했던 그 시대의 혁명적인 사상가였다. 점점 더 복잡해지고 제한되는 세상은 이 사상가들이 그들 스스로 사회가 너무 역동적인 세력이 되어서 개인이 다루기에 힘이 드는지를 질문하도록 만들었다. 즉, 사실상 인간을 조종하는 것이 사회인지 아닌지 말이다. 두 사상가가 비록 급진적으로 문화와 사회에 대한 다른 견해를 제공하더라도, 그들은 본질적으로 둘 다 똑같은 질문에 답하려고 노력하였다. 개인이 사회를 통제하는가? 사회가 개인을 통제하는가?

누군가 이 질문에 대해 의심하며 다음과 같이 반응할 수 있기 때문에, 이 논쟁의 타당성이 논의되어야 할지도 모른다. 확실히 우리는 우리 스스로를 통제한다. 바로 이 순간 우리는 우리 자신의 능력을 통제하지 않는가? 당신이 이 글을 읽거나 읽어야 하는 이 순간, 만일 이것이 어떤 즉각적이고 분명한 욕구를 만족시키지 못한다면 그것은 다른 목적을 성취하고 있는 것이다. 아마도 이 목표는 교육을 성취하는 것이지만 대체 왜 그러고 싶은가? 분명 우리는 학자적 자질을 계발하고 우리의 정신을 발달시키려고 하는 것이다. 하지만 그 궁극적 목표는 바로 사회에서 성공하는 것이다. 사회는 대부분의 경우 성공하기 위해 교육이 필요하다는 것을 우리에게 보여주었다. 따라서 우리는 이 질문—우리의 존재는 우리 자신의 욕망의 부산물인가 아니면 사회의 부산물인가?—을 탐색해야 할 것이다. 이러한 추론의 핵심은 우리가 즉각적으로 인식하지 못하는 것을 지적하는 것이다. 우리 자신의 욕망이 무엇을 하라고 하든 간에 우리는 현대 사회의 가치와 도덕에 영향을 받지 않을 수 없다.

NOTE

Step 1	Survey
Key Words	individuals; society
Signal Words	not clear
Step 2	Reading
Purpose	to explain the relationship between individuals and society
Pattern of Organization	question&answer
Tone	neutral
Main Idea	Individual is not controlled by society, but is influenced by the value and morals of society.
Step 3	Summary
지문 요약하기 (Paraphrasing)	Individuals are influenced by society's needs. In some ways, society might control the individual completely. One might read an academic text to gain an education instead of fulfilling an obvious desire out of free will because an education is required by society to succeed.
Step 4	Recite

요약문 말로 설명하기

13 하위내용영역 일반영어 A형 기입형 　배점 2점 　예상정답률 40% 　　　본책 p.062

모범답안 ⓐ physical fatigue 　ⓑ nervous fatigue

채점기준
- 2점: 모범답안과 같다.
- 1점: 둘 중 하나만 맞았다.
- 0점: 모범답안과 다르다.

어휘

atrocious 끔찍한
(go) so far as to (극단적으로, 또는 놀랍게도) ~하기 까지 하다
grave 심각한, 중요한
pronounced 현저한, 뚜렷한
stunted 발달을 저해당한
unbearable 견딜 수 없는

brainworker 정신노동자

if anything 오히려
sound sleep 숙면
toil 노역, 고역

한글 번역 　피로의 종류는 다양하고, 그중 일부는 다른 종류들보다 훨씬 더 심각하게 행복을 방해한다. 단순히 육체적 피로는 과도하지 않은 경우, 숙면과 왕성한 식욕으로 이어지고 휴가의 즐거움을 더욱 증진시켜주므로 오히려 행복의 원인이 되기도 한다. 그러나 피로의 정도가 과하다면 심각한 악마가 된다. 가장 발전된 농촌 사회의 여성을 제외한 농촌 여성은 과도한 고역으로 지쳐서 나이 서른에 늙는다. 산업사회 초기의 아동들은 발달이 위축되고 어린 나이에 과로로 죽는 일이 빈번했다. 이런 현상은 산업주의가 시작된 중국과 일본에서는 여전히 일어나고 있고 미국 남부 지역에서도 어느 정도 발견된다. 일정 선을 넘은 육체적 노동은 끔찍한 고문이며 흔히 삶을 거의 견딜 수 없는 상태로 만들기까지 한다. 그러나 현대 사회의 가장 발전된 곳에서는 육체적 피로가 산업 환경의 발전을 통해 많이 축소되어 가고 있다. 현재 진보 사회에서 가장 심각한 종류의 피해는 정신적 피로이다. 정신적 피로는 이상하게도 부유한 사람들에게서 뚜렷이 나타나며, 임금 노동자들보다는 사업가와 정신노동자들이 많이 느낀다. 현대의 삶에서 정신적 피로에서 벗어나기는 매우 어렵다.

NOTE

Step 1	Survey
Key Words	physical fatigue; nervous fatigue
Signal Words	But; however; less...than
Step 2	**Reading**
Purpose	to describe the negative effects of excessive fatigue and its existence in the modern economic climate
Pattern of Organization	cause&effect; comparison&contrast
Tone	concerned
Main Idea	Fatigue takes on many forms in various economic zones, with some being much graver obstacles to happiness.
Step 3	**Summary**
지문 요약하기 (Paraphrasing)	Fatigue takes on many forms in various economic zones, with some being much graver obstacles to happiness. Physical labor in developing parts of the world carried too far can cause permanent harm and make life almost unbearable. In the advanced, modern world, nervous fatigue is a hard to escape condition among the well-to-do.
Step 4	**Recite**
요약문 말로 설명하기	

14　하위내용영역 일반영어 A형 기입형　배점 2점　예상정답률 65%　　　本책 p.064

모범답안　race to the bottom

채점기준
• 2점 : 모범답안과 같거나 의미가 유사하였다.
• 0점 : 모범답안과 다르다.

어휘

dictate 명령하다　　　　　　　　　　　　dismantle 해체하다
labor pool 인력
race to the bottom 생산자들의 제품 생산 원가를 낮추려는 경쟁
regulatory 규정하는, 단속하는
required overtime pay 규정되어 있는 초과노동에 대한 수당
susceptible 영향을 받기 쉬운; 민감한

한글 번역　　가격을 낮추려는 경쟁은 국가와 국가 사이에 나타나고 있는 사회경제적인 개념이다. 국가와 국가 사이에 특정한 교역과 생산 영역에 있어 경쟁이 점점 더 치열해질 때, 국가들은 현재 존재하고 있는 규제를 허물 동기를 점점 더 많이 갖게 된다. 자유무역 쪽으로 향하는 전 세계적 추세에 따라 노동은 가격을 낮추려는 경쟁 모델로부터 많은 영향을 받고 있다. 전 세계적으로 이용 가능한 인력집단을 아주 풍부하게 가지고 있으며, 사실상 어떠한 규제도 받지 않고 자본을 이동할 수 있는 능력을 갖춘 다국적기업들은 가장 알맞은 노동력을 쫓아서 국가들을 옮겨 다니며 활동할 수 있게 되었다. 이러한 사실은 특히 저개발국가에서의 노동 관련법들에 영향을 주고 있다. 현실적으로 이러한 저개발 국가에서의 최저임금제나 제도상 규정된 초과 임금 수준은 가장 낮은 비용의 노동을 찾는 다국적 기업들에 커다란 장벽이 되고 있다. 가격을 낮추려는 경쟁은 점점 더 많은 나라들에, 특히 저개발 국가들에 대하여, 그들의 노동 관련법들을 제거하도록 강제하고 있다.

NOTE

Step 1	Survey
Key Words	the race to the bottom; lowest-cost labor
Signal Words	affects; therefore
Step 2	Reading
Purpose	to explain the effect of the race to the bottom as it occurs within the labor regulations of developing nations
Pattern of Organization	cause&effect; definition
Tone	critical
Main Idea	As different countries compete to provide the lowest-cost labor as a means to attracting multi-national companies from overseas, labor laws are increasingly eliminated.
Step 3	Summary
지문 요약하기 (Paraphrasing)	As different countries compete to provide the lowest-cost labor as a means to attracting multi-national companies from overseas, labor laws are increasingly eliminated.
Step 4	Recite
요약문 말로 설명하기	

모범답안   ① predictions   ② chaotic

채점기준

• 2점: 모범답안과 같다.
• 1점: 둘 중 하나만 맞았다.
• 0점: 모범답안과 다르다.

어휘

electron 전자   feature 모양, 특징
hard fact 냉정한 사실   meteorologist 기상학자
quantum 양자

한글 번역   우리는 어떤 질서정연한 시스템의 초기 환경을 알면 그것에 대한 예측을 할 수 있다. 예를 들면, 뉴턴의 거시 세계에서는 초기 환경을 정확히 알면 어떤 특정한 시간 이후 행성이 어디에 있을 것이며, 발사한 로켓이 어느 곳에 착륙할 것인지, 그리고 일식 현상이 언제 일어날 것인지를 알 수 있다. 마찬가지로 양자 미시 세계에서는 전자가 원자 속의 어디쯤 있을 것인지, 그리고 방사성 입자가 주어진 시간 간격 동안에 붕괴할 확률이 얼마인지를 예측한다. 뉴턴과 양자의 질서정연한 시스템에서 예측 가능성의 정도는 초기 조건에 대한 지식에 의존한다. 그러나 뉴턴이든 양자든 간에 어떤 시스템은 질서 정연하지 않으며 근본적으로 예측이 불가능하다. 이것은 '카오스 시스템'이라고 불린다. 물의 난류가 그 예이다. 나무가 하류로 떠내려갈 때 난류에 떠밀려 가는 나무 조각의 초기 조건을 아무리 정확하게 안다고 해도 나중에 하류의 어디에 있을 것인지를 예측하는 것은 불가능하다. 카오스 시스템의 특징 중 하나는 초기 환경의 작은 차이가 후에 매우 다른 결과를 유발한다는 점이다. 한때는 똑같은 두 개의 나무 조각이 나중에는 서로 엄청나게 멀리 떨어져 있게 된다. 날씨도 카오스적인 현상이다. 어느 날 날씨가 조금만 변화해도 일주일 후에는 엄청난(매우 예측하기 어려운) 변화를 가져올 수 있다. 기상학자들은 최선을 다하지만, 자연이 가진 카오스에 부딪히게 된다. 좋은 예측을 하기 위해 겪게 되는 이 장벽은 로렌츠라는 과학자가 이렇게 질문하게 했다. "브라질에서 나비가 날개를 퍼덕이면 텍사스에서 태풍이 일어나는가?" 오늘날 우리는 이 상황을 '나비 효과'라고 부르는데, 이것은 매우 작은 변화가 엄청나게 큰 결과를 가져오는 상황을 다룰 때 쓰는 말이다.

NOTE

01

Step 1	Survey
Key Words	orderly system; prediction; original state; chaotic systems; unpredictable
Signal Words	for example; similarly; some system
Step 2	**Reading**
Purpose	to define the butterfly effect and nature of scientific prediction
Pattern of Organization	comparison&contrast; definition
Tone	neutral
Main Idea	There are some systems that scientists can wield accurate prediction, in others though there is too much chaos when small effects snowball into large effects.
Step 3	**Summary**
지문 요약하기 (Paraphrasing)	Through the perfecting of prediction models, Newtonian and Quantum models are somewhat predictable by scientists if they have information about the original state. In other areas though, such as weather, predictions can change fast as small changes lead to larger resulting effect, which is called "the butterfly effect".
Step 4	**Recite**
	요약문 말로 설명하기

16 하위내용영역 일반영어 A형 기입형　배점 2점　예상정답률 45%　　　　　　　본책 p.068

모범답안 ① interest　② observation

채점기준
- 2점 : 모범답안과 같다.
- 1점 : 둘 중 하나만 맞았다.
- 0점 : 모범답안과 다르다.

어휘

be observant of 관찰력이 있는　　　　　　divert (주의를) 딴 데로 돌리게 하다
have no effect on ~에 영향이 없다; 효과가 없다

한글 번역 ｜ 관찰은 흥미와 지식에 의존한다. 만약 세 명의 친구—한 사람은 건축가, 또 한 사람은 식물학자, 나머지 한 사람은 주식중개인—가 해외로 여행을 한다면, 건축가는 그의 친구들보다는 주택의 모양이나 다른 건물들에 보다 많이 주목할 것이다. 왜냐하면 그는 특별히 그것들에 흥미를 느끼고 있기 때문이다. 식물학자는 그의 친구들보다 좀 더 그 나라의 꽃들과 나무들을 주시할 것이다. 그리고 이 사람은 실제로 보다 세밀한 부분도 보게 될 것이다. 왜냐하면 이 사람은 무엇을 보아야 하는지를 알기 때문이다. 관찰은 지식에 의하여 인도되고 흥미에 의하여 촉진된다. 하지만, 우리는 식물을 관찰하는 훈련을 받은 식물학자나 건물들을 예민하게 관찰하는 건축가가 주식중개인보다 그들이 외국에서 만나는 사람들의 얼굴을 또는 그들이 외국에서 만나는 여성들이 입은 옷을 보다 더 잘 관찰할 것이라고는 생각하지 않는다. 이들의 관심은 아마도 그들이 특별히 흥미를 느끼고 있는 대상에 의하여 분산될 것이다. 그래서 라틴어 단어 끝부분의 다양한 형태 변화를 조심스럽게 관찰하는 훈련이 된 것이나 실험을 할 때 화학물질의 변화에 대하여 조심스럽게 관찰하는 훈련이 된 것이 그림의 관찰이나 별의 운동에 대한 관찰에는 아무런 도움도 주지 못한다.

NOTE ▶

Step 1	Survey
Key Words	observation; interest; knowledge
Signal Words	none
Step 2	Reading
Purpose	to explain how one's knowledge and expertise direct and distract observation
Pattern of Organization	not clear
Tone	neutral
Main Idea	Observation is influenced by a person's background and knowledge.
Step 3	Summary
지문 요약하기 (Paraphrasing)	Observation is influenced by a person's background and knowledge. Different backgrounds can influence observation when shown the given matter of expertise, such as a botanist being drawn to flowers in the countryside or an architect to houses.
Step 4	Recite
	요약문 말로 설명하기

모범답안　① ecological　② sustainable

채점기준

· 2점 : 모범답안과 같다.
· 1점 : 둘 중 하나만 맞았다.
· 0점 : 모범답안과 다르다.

어휘

accountable 책임이 있는
meet the needs of ~의 요구를 충족시키다
renewable 재활용할 수 있는

biodiversity 생물의 다양성
practice 지금 행해지고 있는 일, 관례
replenish 다시 채우다. 보충하다, 공급하다

한글번역　'지속가능성'이란 개념은 지구상에 존재하는 모든 삶의 측면에 적용되지만, 특히 생태적, 사회적, 그리고 경제적 맥락에서 일반적으로 정의되고 있다. 인구과잉, 교육의 결핍, 불충분한 금전적 환경, 그리고 과거 세대의 행위 등의 요인에 의하여 지속가능성이란 개념을 달성하는 것이 힘들 수 있다. 생태적인 맥락에서 보면, 지속가능성이란 생태계가 생태적 과정, 기능, 생물의 다양성, 그리고 생산성을 미래에도 유지할 수 있는 능력을 의미한다. 사회적인 맥락에서 보면, 지속가능성이란 미래 세대들이 그들이 원하는 것을 충족할 수 있는 능력을 위태롭게 하지 않으면서 우리가 현재의 필요를 충족시키는 것으로 표현된다. 경제적인 맥락에서 보면, 기업이 재활용할 수 있는 자원을 사용하기 위하여 생산 활동을 적응시키며 자신의 생산 활동이 환경에 미치는 영향에 대하여 책임을 느낄 때 그 기업은 지속가능한 것이라 할 수 있다. 지속가능하기 위해서, (상이한) 맥락에 상관없이, 우리는 지구의 자원을 그 자원이 다시 채워지는 속도만큼 사용하여야 한다. 지금 인류가 지속가능하지 않게 생활하고 있다는 명백한 증거가 있다. 따라서 인간은 자연자원을 지속가능성이란 한계 내에서 사용하도록 노력하여야 한다.

NOTE

Step 1	Survey
Key Words	sustainability
Signal Words	defined; is defined as; is expressed as
Step 2	Reading
Purpose	to outline the meaning of sustainability in the contexts of ecology, society, and economy
Pattern of Organization	definition; series
Tone	neutral
Main Idea	Sustainability is defined differently in the contexts of ecology, society, and economy and problematically lacking from the current ways of human living.
Step 3	Summary
지문 요약하기 (Paraphrasing)	Sustainability is defined differently in the contexts of ecology, society, and economy and problematically lacking from the current way of human living, causing a drain on human resources faster than they can be replenished.
Step 4	Recite

요약문 말로 설명하기

18 하위내용영역 일반영어 A형 기입형   배점 2점   예상정답률 40%   본책 p.072

모범답안 ① regularity   ② time-consciousness

채점기준
- 2점 : 모범답안과 같다.
- 1점 : 둘 중 하나만 맞았다.
- 0점 : 모범답안과 다르다.

어휘
elements 비바람; 폭풍우
manipulate 교묘하게 다루다, 조작하여 속이다
monastery 수도원
knocker-up 잠깨는 사람
yield to ~에 굴복하다

factory whistle 공장의 경적
Methodist 감리교 신자
monotony 단조로움
tick 째깍째깍 하는 소리

한글 번역 | 초기 공장에서는 고용주가 시계를 조작하거나 다른 시각에 휘슬을 불기도 했었는데, 이는 노동자들을 속여 이 새로운 귀중품(시간)을 빼앗으려는 것이었다. 후에 이런 관행은 적어졌지만, 시계의 영향은 이전에 수도원에서만 알려져 왔던 사람들의 삶에 규칙성을 강요하였다. 실제로 사람들은 자연 존재로서의 삶의 리듬감과는 아무 유사성이 없는 반복적인 규칙성대로 행동하는 시계처럼 되어버렸다. 그들은 빅토리아 시대의 인용구처럼 '시계같이 규칙적인 것'이 되어버렸다. 동물과 식물 그리고 비바람의 자연스러운 삶이 존재하던 시골에서만은 인구의 대부분이 치명적인 단조로움에 빠져 버리는 것을 피할 수 있었다.

처음에는 시간에 대한 태도 즉, 삶의 규칙성에 대한 이 새로운 태도는 시계를 가진 주인으로부터 따르고 싶지 않은 가난한 이들에게 강요되었다. 공장의 노예는 19세기 초 산업혁명기의 슬럼을 특징짓는 혼란스러운 불규칙한 삶으로 자신의 쉬는 시간을 보냄으로써 이에 대응했다. 사람들은 술이나 감리교적 영감이라는 영원의 세계로 달아나버렸다. 하지만 규칙성이라는 개념은 하위층과 노동자들에게 점점 확산되었다. 19세기 종교와 도덕은 시간을 허비하는 것이 죄라고 주장함으로써 자신의 역할을 다했다. 1850년대 대량생산된 시계의 도입은 잠을 깨우기 위해 문을 두드리는 사람이나 공장 휘슬의 자극에 반응해오던 사람들 사이에 시간개념을 확산시켰다. 교회나 학교, 사무실이나 작업장에서 제시간을 지키는 것은 최고의 미덕으로 자리하게 되었다.

NOTE

Step 1	Survey
Key Words	clocks; commodity; regularity; time-consiousness
Signal Words	in the early; later; prevously; At first; But gradually; Nineteen-century; in the 1850s; previously
Step 2	Reading
Purpose	to show the way in which the increased awareness of time changed labor and social perspectives
Pattern of Organization	time order; cause&effect
Tone	critical
Main Idea	The introduction of regularity of time caused major changes in the workplace, the slums and other major institutes.
Step 3	Summary
지문 요약하기 (Paraphrasing)	The introduction of regularity of time caused major changes in the workplace, the slums and other major institutes. In the industrial workplaces, clocks imposed regularity on workers, who reacted by living with a chaotic irregularity. Gradually, the idea of time-consciousness, which came to be valued as morality, spread among workers.
Step 4	Recite

요약문 말로 설명하기

모범답안 ① fairness　② entrance exams

채점기준

• 2점: 모범답안과 같거나 유사하였다.
• 1점: 둘 중 하나만 맞았다.
• 0점: 모범답안과 다르다.

어휘

commitment to ~에 헌신; 충실도
for years 오랫동안
postsecondary 중등과정이후(대학과정)

detractor 공격자, 비평자, 반대자
overly 과도하게
prominence 두드러짐, 돌출, (다른 것보다) 중요함

한글 번역　1920년대 후반부터 표준화 입학시험은 대학입학 과정에서 중요한 역할을 했고, 그 중요성은 지난 몇십 년간 증가했다. 그러나 이 시험의 중요성은 대학에서의 성공을 결정하는 데 있어서의 공정성과 효율성의 문제에 대한 논쟁과 함께해 왔다. 대학입학시험, 특히 SAT는 오랫동안 비판의 대상이 되어왔다. 비판하는 사람들은 이 시험이 소수자들, 여성 그리고 저소득층 학생들에게 공평하지 않고, 부당하게 학생들을 선별한다고 말한다. 또한 지나치게 경쟁적인 입학 과정에도 영향을 미친다고 본다. 게다가 학생들은 입학과 장학금을 위해 점수를 올려야 하는 부담에 시달린다. 선생님들은 학생들이 좋은 점수를 받도록 도와야 하는 부담을 받는다. 대학들은 자신들의 등수와 재정모금 실적을 올리기 위해 높은 점수의 학생들을 받아야 하는 부담이 생긴다. 반대자들은 대학입학에서 입학시험이 너무 많은 비중을 차지하고 있다고 오랫동안 주장해왔다. 그들의 의견에 따르면 이 시험은 학생들의 재능 정도와 고등교육기관에서의 성공에 대한 그들의 충실도를 측정할 수 없다고 한다.

01

NOTE ►

Step 1	Survey
Key Words	standardized entrance exams; fairness; effectiveness
Signal Words	in particular; Furthermore; and
Step 2	**Reading**
Purpose	to criticize standardized entrance exams
Pattern of Organization	series
Tone	critical
Main Idea	College entrance exams are criticized as being an unfair and ineffective tool for identifying students who will be successful in college.
Step 3	**Summary**
지문 요약하기 (Paraphrasing)	College entrance exams are criticized as being an unfair and ineffective tool for identifying students who will be successful in college. They are biased against social minorities and create undue pressure on students, teachers, and admitting universities. Also, the exams do not prove student potentiality to perform well in college.
Step 4	**Recite**
	요약문 말로 설명하기

20 하위내용영역 일반영어 A형 기입형   배점 2점   예상정답률 55%   본책 p.076

모범답안 ① public accomplishment   ② men

채점기준
• 2점 : 모범답안과 같다.
• 1점 : 둘 중 하나만 맞았다.
• 0점 : 모범답안과 다르다.

어휘

be engaged in ~에 종사하다
public accomplishment 공적인 성취

bearing and rearing 아기를 임신하기와 아기를 기르기
public gathering for power 권력을 쥐기 위한 공적 모임

한글 번역 인류의 역사를 살펴볼 때, 남성들은 사회적 삶―가령, 돈과 음식을 구하기 위하여 노동하는 것, 권력을 가지기 위하여 단체를 만드는 것―에 일반적으로 종사하여왔다. 이에 따라 남성들은 공적인 성취와 인정을 추구하여 왔다. 한편, 여성들은 임신하고 자식을 기르는 과정에서 그들의 행복을 찾아왔다. 여성들의 관점에 있어서 공적인 성취는 남성을 결혼 배우자나 미래 자식의 아버지로서 매력적이며 탐나는 배우자감으로 만들어 준다. 하지만 남성들에게 있어서 (여성의) 공적인 성취라는 조건은 정반대의 의미가 있다. 여성이 사회적으로 더 성공하려고 하면 할수록, 남성에게 있어 이 여성은 덜 매력적이며 덜 탐나는 배우자로 보인다. 이러한 성적 편견은 특히 현대사회에 있어 경제적, 기술적 발전이라는 관점에서 볼 때, 타당한 근거를 가지고 있지 않다. 더욱 많은 여성들이 자녀 양육보다는 직업을 갖는 것을 더 선호하며, 더욱 많은 남성들이 직업을 갖지 않고 집에 정주하여 가사를 돌보고 있다는 사실이 이를 잘 보여주고 있다.

NOTE

Step 1	Survey
Key Words	men; women; bias; accomplishment
Signal Words	throughout human history; but fot men; in women's view; this gender bias
Step 2	Reading
Purpose	to show how shifts in gender bias have occured
Pattern of Organization	comparison&contrast
Tone	neutral
Main Idea	In the past, men sought after accomplishment and women to raise children well, however, this distinction has faded.
Step 3	Summary
지문 요약하기 (Paraphrasing)	In the past, men sought after accomplishment and women to raise children well, however, this distinction is not as clear as more women take jobs and men opt for household responsibilities.
Step 4	Recite

요약문 말로 설명하기

모범답안 ① power ② sea fish

채점기준

• 2점 : 모범답안과 같다.
• 1점 : 둘 중 하나만 맞았다.
• 0점 : 모범답안과 다르다.

어휘

abbey 수도원, 수녀원	angler 낚시꾼
basketwork 바구니 세공품	body politic 정치체
fast 금식, 단식	fish pond 양어장
fish weir 어살	fishering 어장
ford (강바닥이 얕은) 여울	fulling : cleansing and thickening
ironworks 제철소, 대장간, 철공소	lorry 대형트럭(화물차)
mill 공장, 방앗간	reaches 지역(강의 하류, 상류 등)
shire 주(州) (지금은 Hampshire, Yorkshire 같은 영국의 일부 주 이름에 쓰임)	
stake 말뚝	unimpeded 가로막는 것이 없는, 방해받지 않는
vein 혈액	weir 둑(강물의 흐름을 돌리기 위해 낮게 막은 것)

한글 번역   중세의 강은 경제와 정치의 혈맥이었다. 국가와 주 간의 경계로서 강은 마을의 자리가 된 여울과 종종 전쟁터가 되는 다리들을 가로질렀다. 그 시대의 사람들은 강에서 음식과 동력과 운송수단을 구했다. 현대에는 물고기를 바다에서 잡아서 철도나 무게차로 실어 온다. 낚시꾼들만이 민물고기들을 중요하게 생각하며 오염된 강물은 낚시꾼들을 점점 더 적은 숫자의 장소들로만 가게 만든다. 그러나 옛날에 바닷고기는 바닷가 사람들만 먹었을 때, 그리고 고기는 일 년의 특정 기간에만 얻을 수 있었을 때, 금식이 자주 그리고 보편적으로 실행되던 시절에 민물고기는 국가 생활에 중요한 부분이었다. 모든 대수도원이나 유력자의 집에는 양어장이 있었고 크고 작은 강들을 가로질러 말뚝, 그물, 바구니 등으로 만든 어살(고기를 잡는 작은 댐)이 늘어져 있었다. 어장 주인들과 장애물 없는 항로를 원하는 바지선 주인들 사이에는 끊임없는 전쟁이 있었고 이는 금식의 보편성이 적어지고, 한해 내내 육고기를 접할 수 있고, 바닷고기를 내지로 실어 나르는 것이 가능해지면서 민물고기의 중요성이 감소할 때까지 계속되었다. 강은 또한 가장 중요한 동력의 원천이었다. 모든 강의 흐름에 방아가 돌아갔는데, 곡물을 찧기 위해서만이 아니라 옷을 풀링하거나 대장간의 망치를 움직이는 것 같은 모든 종류의 산업 과정에서 사용되었다. 물머리가 닿을 곳의 둑방에는 어디든지 설치된 이 방앗간들은 마을을 지나가는 작은 물살에서 또는 항해하는 더 큰 강에서도 발견되었다.

NOTE

Step 1	Survey
Key Words	in medieval times; rivers; food; power
Signal Words	when; when; when; as; as; also; also
Step 2	**Reading**
Purpose	to outline the importance of river for providing food and economic advantage
Pattern of Organization	series; cause&effect
Tone	neutral; informative
Main Idea	Rivers was of importance for food and power in medieval time.
Step 3	**Summary**
지문 요약하기 (Paraphrasing)	Rivers was important for food and power in medieval time. Fishing used to be more important and reliant on freshwater rivers. Likewise, rivers provide power for mills which supported making food and industrial processes.
Step 4	**Recite**
	요약문 말로 설명하기

04 지칭추론

모범답안 p-coumaric acid

채점기준

• 2점 : 모범답안과 같다.
• 0점 : 모범답안과 다르다.

한글 번역   새로운 연구는 일벌이 될 운명을 가진 꿀벌 유충이 로열젤리를 먹는 것에서 꿀과 비브레드(일종의 가공된 꽃가루)를 포함한 젤리의 식단으로 바뀔 때, 광범위한 발전적 변화가 발생함을 보여준다.

비브레드와 꿀은 p－쿠마린산을 포함하지만, 로열젤리는 그렇지 않다. 여왕벌들은 독점적으로 로열젤리를 먹고 산다. 보모로 알려진 일벌들은 벌집의 필요에 따라 유충들을 먹인다. 실험을 통해 p－쿠마린산을 섭취하는 것이 꿀벌 유충을 로열젤리만을 먹은 유충들과는 다른 발전적 경로로 밀어 넣는다는 것이 밝혀졌다. 꿀벌 게놈의 약 3분의 1 정도 되는 어떤 유전자들은 상향 조정되고, 다른 3분의 1은 하향 조정되면서 질병과 싸우거나 벌의 번식 부분을 발전시키는 데에 도움이 되는 사용 가능한 단백질의 구조를 바꾼다.

비브레드와 꿀 속에 만연한 식물화학적인 p－쿠마린산을 섭취하는 것은 계급 결정과 관련된 전체 유전자의 발현을 변경한다. 수년간, 사람들은 로열젤리 속의 어떤 성분이 여왕벌 진화를 이끌어 가는지 궁금해 해왔지만, 더 중요할지도 모르는 것은 로열젤리 속에 들어있지 않은 것, 발전을 방해할 수 있는 식물 화학물이다.

이전의 분자 연구들이 천연 및 합성 화학물질에 곤충이 노출되는 것과 관련 있는 유전자 변형 기록의 단순한 스냅사진을 제공했지만, 이 연구에 사용된 유전체학 접근법은 식물과 곤충 사이의 상호작용 간에 발생하는 생화학적이고 생리학적인 과정에 상당히 더 복잡한 관점을 제공한다.

NOTE

01

Step 1	Survey
Key Words	honey bees; royal jelly; developmental changes; p-coumaric acid
Signal Words	Experiments revealed; Some genes; For years; but what might be more important
Step 2	Reading
Purpose	to show how bee development is influenced by plant chemicals
Pattern of Organization	series
Tone	informative; neutral
Main Idea	A new study shows that the plant chemical p-coumaric acid influences honey bee larvae to grow into workers when they are fed it.
Step 3	Summary
지문 요약하기 (Paraphrasing)	A new study shows that the plant chemical p-coumaric acid influences honey bee larvae to grow into workers when they are fed it. While larvae feed exclusively on royal jelly, which does not have the chemical, become queens, those fed the chemical have significantly different genetic reactions leading them to develop into workers. This new study show a more complicated perspective on plant-insect interactions.
Step 4	Recite
	요약문 말로 설명하기

모범답안　① self-importance　② love of the marvelous

채점기준

• 2점 : 모범답안과 같다.
• 1점 : 둘 중 하나만 맞았다.
• 0점 : 모범답안과 다르다.

한글 번역　그릇된 믿음의 근원은 자존심 말고도 여러 가지가 있다. 그중 하나는 경이로움에 대한 사랑이다. 나는 한때 과학적 사고방식을 가진 마술사와 알고 지낸 적이 있는데, 그는 관객 몇 명 앞에서 마술을 펼친 다음 그들 한 명 한 명에게 지금까지 무엇을 보았는지 적어 보도록 시키곤 했다. 관객들은 십중팔구 실제 본 것보다 훨씬 더 놀라운 광경을 적어 냈고, 대개는 어떤 마술사도 도달할 수 없는 기술들이었다. 그러면서도 그들은 모두 자기 눈으로 본 것을 사실 그대로 적었다고 생각했다. 이런 식의 침소봉대는 소문과 관련하여 더욱 사실적으로 나타난다. A가 B에 간밤에 유명한 금주 운동가 아무개 씨의 취한 모습을 보았다고 이야기한다. B는 C에 그 선량한 아무개 씨가 만취하여 갈지자로 걷는 모습을 A가 보았노라 얘기하고, C가 다시 D에 아무개 씨가 인사불성이 되어 개천에서 건져졌다고 전하면, D는 E에 가서 아무개 씨가 매일 밤 만취할 때까지 마시는 것은 유명한 얘기라고 전한다. 사실 여기에는 또 하나의 동기가 개입하는데, 다름 아닌 악의이다. 우리는 곧잘 이웃을 나쁘게 생각하며, 아주 사소한 증거만 가지고도 기꺼이 최악의 평판을 믿으려 한다. 그러나 이 같은 동기가 없는 사람들조차도 신기한 것을 보면 그것이 굳건한 선입관을 거스르지 않는 한 덜컥 믿어 버리곤 한다. 18세기 이전의 모든 역사는 불가사의와 기적으로 가득하지만, 현대 역사학자들은 그것들을 무시한다. 이는 그러한 것들의 증거가 역사학에서 인정하는 사실들보다 빈약하기 때문이 아니라, 지식인의 현대적 취향이 과학적으로 가능한 일들을 더 선호하기 때문이다.

Step 1	Survey
Key Words	false belief; love of the marvelous; rumors; malice
Signal Words	One of these; another motive comes in…; All history until
Step 2	**Reading**
Purpose	to outline several sources of false belief
Pattern of Organization	series
Tone	informative
Main Idea	False belief resulting from love of the marvelous skews history in ways that modern historians disregard.
Step 3	**Summary**
지문 요약하기 (Paraphrasing)	False belief resulting from love of the marvelous skews history in ways that modern historians disregard. Other sources of false belief include self-importance, rumors, and malice.
Step 4	**Recite**

요약문 말로 설명하기

모범답안　talk

채점기준
・2점 : 모범답안과 같다.
・0점 : 모범답안과 다르다.

어휘
bond 결속, 유대　　　　　　　　　　　cornerstone 초석
hierarchical 계급제도의　　　　　　　　thread 실, 섬유

한글 번역　소녀들과 마찬가지로 여성들에 있어 친밀함은 관계로 짜인 천이고, 대화는 그 천을 짜는 실이다. 어린 소녀들은 비밀을 교환하면서 우정을 쌓고 유지한다. 이와 유사하게, 여성들도 대화를 우정의 디딤돌로 여긴다. 그래서 여성은 남편에게 새롭고 향상된 버전의 가장 친한 친구가 되어주기를 기대한다. 중요한 것은 논의되는 각 주제가 아니라 친밀감과 생활을 공유한다는 느낌인데, 이러한 감정은 자기 생각, 감정 그리고 감상을 말할 때 나타난다. 소년들 사이의 유대감은 소녀들과의 그것처럼 강렬할 수는 있으나, 대화보다는 무언가를 함께 하는 것에 더 근간한다. 소년들은 대화라는 것을 관계를 묶어주는 기제로 여기지 않기 때문에, 남자들은 여성들이 어떤 종류의 대화를 원하는지 모를뿐더러 대화가 없어도 섭섭하게 생각하지 않는다. 소년 집단은 더 크고, 포괄적이며 조직적인 까닭에 집단에서 낮은 위치를 피하려고 분투해야만 한다. 이것이 남성들이 귀 기울여주지 않는 데 대한 여성들의 불만을 초래하는 역할을 할지도 모른다. 어떤 남성은 정말로 듣는 것을 싫어한다. 들어주는 이는 곧 아이가 어른의 말을 듣고 혹은 부하직원이 상사의 말을 경청하는 것처럼, 자신이 낮아진 것처럼 느껴지기 때문이다.

NOTE

Step 1	Survey
Key Words	girls; intimacy; boys; talk
Signal Words	less; more; but
Step 2	**Reading**
Purpose	to show the differing ways talk is used and viewed by men and women
Pattern of Organization	comparison&contrast
Tone	neutral
Main Idea	Men and women view talk and listening differently, with men being slightly less likely to be interested in talking or listening.
Step 3	**Summary**
지문 요약하기 (Paraphrasing)	Men and women view talk and listening differently, with men being slightly less likely to be interested in talking or listening, due to the worry of sacrificing position in a perceived social hierarchy.
Step 4	**Recite**
요약문 말로 설명하기	

모범답안 ① nuclear weapons ② biology

채점기준
- 4점 : 모범답안과 같다.
- 2점 : 둘 중 하나만 맞았다.
- 0점 : 모범답안과 다르다.

어휘

ambivalent ~에 대해 상반되는 감정을 가진	by then ~그때까지는, 그런 후
DNA-based biology DNA에 근거를 두고 있는 생물학	double-edged sword 양날의 칼날
double-helical 이중 나선의	fabric 기본구조, 원단
fall into the hands of ~의 수중에 들어가다	fraction 부분
frenzy 열광	hold ~ in check ~을 억제하다
incorporate 흡수하다	interconversion 상호간의 교환
life science 생명과학	physicist 물리학자
range from A to B A에서 B까지 포함하다	revere 존경하다
science's totem pole 과학이라는 계급제	turn-of-the-century 세기전환기
verify 진실임을 확인하다	yeast 효모
zip 활기차게 나아가는 소리, 활기	

한글 번역 　오늘날 DNA에 기반을 두고 있는 생물학은 활기가 넘친다. 매년 생물학은 생명과학에서 점점 더 많은 분야를 흡수하여 그 연구범위가 박테리아나 효모 같은 단세포 생물에서 인간의 뇌 같은 복잡한 것에까지 이르고 있다. 이 모든 열광은 내가 처음 유전학의 세계에 입문하였을 당시에는 상상할 수 없는 것이었다. 1948년에 생물학은 과학의 말단에 있었으며, 전적으로 매우 기술적인 학문이었다. 그 당시에는 물리학이 과학의 가장 높은 위치를 차지하고 있었다. 그 당시, 물질과 에너지의 상호변환에 관한 아인슈타인의 세기 전환기의 아이디어는 원자력이라는 변화된 결과를 낳았다. 만약 억제되지 않는다면, 인간이 만든 무기가 문명화된 인간사회 체제 자체를 파괴할 수도 있었다. 그 때문에 1940년대 후반의 물리학자들은 한편으론 사회에 적합한 원자(력)를 만든 것으로 칭송받는 동시에, 한편으론 만약 그들의 장난감(=핵무기)이 악의 수중에 들어갈 경우에 초래될 수 있는 위험 때문에 두려움의 대상이 되었다. 이러한 상반된 감정이 지금 생물학에 대하여 널리 퍼져있다. 초기에 그 자체의 지적 측면에서의 단순성 때문에 널리 칭송을 받았던 DNA의 이중 나선구조는 오늘날에는 많은 이들에게 악하게도 혹은 선하게도 사용될 수 있는 양날의 칼로 받아들여진다.

NOTE

Step 1	Survey
Key Words	DNA-based technology; genetics; nuclear weapons
Signal Words	today; in 1998; By then; now
Step 2	**Reading**
Purpose	to warn the possible dangers of DNA-based biology
Pattern of Organization	time order
Tone	cautious
Main Idea	The integration of genetics into technology is increasing, so more than ever the possible benefits and drawbacks are more obvious.
Step 3	**Summary**
지문 요약하기 (Paraphrasing)	The integration of genetics into technology is increasing, originally, genetics were not thought of in this way. So, more than ever now the possible benefits and drawbacks with the technology are clear.
Step 4	**Recite**

요약문 말로 설명하기

05 하위내용영역 일반영어 A형 기입형　　배점 2점　　예상정답률 50%　　　　　　본책 p.088

모범답안 his murder of his own father

채점기준
- 2점: 모범답안과 같거나 의미가 유사하였다.
- 0점: 모범답안과 다르다.

어휘

all along 줄곧, 내내	bandit 강도
be aware of ~을 알아채다, ~을 알다	brilliant 빛나는, 훌륭한, 재기가 뛰어난
mount 오르다, 늘다, 상승하다	mounting 점점 증가하는
nothing ~ until ~해서야 비로소 ~하다	rage 맹렬하다, 격노하다

한글 번역　오랫동안 비평가들은 고대 그리스 비극 "오이디푸스 왕"에 대해 논쟁해 왔다. 어떤 이들은 오이디푸스가 자기 아버지를 살해했다는 것이 드러나는 연극의 결말에 이를 때까지 자신의 죄를 전혀 알지 못했다고 주장해 왔다. 다른 이들은 오이디푸스가 처음부터 자신의 죄를 인지하고 있다고 주장해왔다. 이러한 관점에서 보면, 수수께끼를 똑똑하게 풀어낸 오이디푸스가 자신이 왕의 살해자였다는 가중되는 증거를 무시하는 것이 가능할 수 없다. 이러한 논쟁이 어떻게 혹은 왜 그렇게 오랫동안 맹렬하였는지 신비한 일이다. 정확한 해석은 너무나 분명하다. 오이디푸스는 처음부터 자신이 유죄라는 것을 알고 있다. 그는 단지 진실을 모르는 척 할 따름이다. 예를 들어 한 하인이 왕의 살인에 대해 이야기를 할 때, 그는 '노상강도들'이란 단어를 사용한다. 하지만 오이디푸스가 이 이야기를 반복할 때, 그는 단수 형태인 '노상강도'를 사용한다. 소포클레스는 연극 내내 이와 같은 단서를 제공하고 있다. 그러므로 왜 사람들이 오이디푸스가 그의 범죄에 대한 진실을 모른다고 생각하는지 그 이유를 이해할 수가 없다.

Step 1	Survey
Key Words	*Oedipus Rex*
Signal Words	critics; others; why; For example; Thus why
Step 2	**Reading**
Purpose	to prove that Oedipus Rex knowingly murdered his father
Pattern of Organization	series
Tone	argumentative
Main Idea	Despite debate to the contrary, the King Oedipus can be proven to have known he killed his father through textual clues.
Step 3	**Summary**
지문 요약하기 (Paraphrasing)	Despite some opinion to the contrary, it is clear that the titular hero in Oedipus Rex was well aware he had murdered his father as shown through clues in the text.
Step 4	**Recite**
요약문 말로 설명하기	

모범답안   ⓐ Pain   ⓑ words(또는 language)

채점기준

· 2점 : 모범답안과 같다.
· 1점 : 둘 중 하나만 맞았다.
· 0점 : 모범답안과 다르다.

어휘

Angina pectoris 협심증
constrict 수축시키다
cramp 경련
elude ~을 이룰(이해할) 수가 없다
referred pain 관련통(통증 부위 주변이 아픈 것)
surge 밀려들다, 급증하다

blister 물집이 생기다
coronary artery 관상 동맥
dilate 확장시키다, 팽창시키다
local anesthetic 국소 마취(약)
shiver 오한
throbbing 두근거리는, 고동치는, 약동하는

한글 번역   고통은 인간의 역사 내내 우리를 괴롭힌다. 우리 인생은 그것을 피하려 애쓰며 보낸다. 그리고 어떤 면에서 우리가 '행복'이라 부르는 것은 단지 고통의 부재일 수 있다. 하지만 고통을 정의하기는 어렵다. 그것은 날카로울 수도, 뭉뚝할 수도, 쏘는 듯할 수도, 고동치는 것 같을 수도, 가상의 것일 수도, 혹은 관련통일 수도 있다. 우리에게는 쥐나 통증과 같이 내부에서 솟아오르는 고통이 많이 있다. 그리고 우리는 또한 고통과 같은 정서적인 아픔도 고통이라고 이야기한다. 고통은 종종 복합적이어서 정서적인 것이 신체적인 것과 신체적인 것이 신체적인 것과 함께 온다. 당신이 화상을 입으면 피부가 부어오르고 물집이 생긴다. 물집이 터지면 피부는 또 다른 방식으로 아프다. 상처는 감염이 될 수 있다. 그러면 히스타민과 세로토닌이 생겨서 혈관을 확장하고 고통에 대한 반응을 일으킨다. 모든 내상이 느낄 수 있는 것은 아니다(국소 마취를 하고 뇌수술을 하는 것이 가능하다). 하지만 피의 흐름을 수축시키는 병들이 종종 있다 : 예를 들어, 협심증은 관상 동맥이 너무 수축해서 편하게 흐를 수 없을 때 생긴다. 심지어 강렬한 고통은 버지니아 울프가 자신의 에세이 "아프다는 것"에서 우리에게 상기시키듯이 종종 정확한 설명이 어렵다 : "햄릿의 생각과 리어의 비극을 표현할 수 있는 영어는 전율과 두통을 표현할 단어가 없다… 고통받는 사람이 의사에게 자신의 머릿속에 있는 고통을 설명하게 해봐라. 그러면 언어는 곧 고갈되고 만다."

Step 1	Survey
Key Words	pain; injuries; physical; emotional
Signal Words	
Step 2	Reading
Purpose	to define pain which in many forms is inexplicable
Pattern of Organization	definition
Tone	neutral
Main Idea	Pain is a term for physical and emotional happenings that is hard to define with precision across the many manifestations.
Step 3	Summary
지문 요약하기 (Paraphrasing)	Pain is a term for physical and emotional happenings, stemming from injuries, that is hard to define with precision across the many manifestations as pointed out by Virginia Woolf.
Step 4	Recite
요약문 말로 설명하기	

07 하위내용영역 일반영어 A형 기입형   배점 2점   예상정답률 55%   본책 p.092

모범답안 ④

채점기준

• 2점: 모범답안과 같다.
• 0점: 모범답안과 다르다.

어휘

be engaged in ~로 바쁘다
conceited 자만심이 강한(= far too proud of their abilities or achievements)
dreary 지루한, 음울한
fatuous 어리석은(= extremely silly, showing a lack of intelligence or thought)
get down to ~에 진지하게 관심을 기울이다; ~을 시작하다; ~을 알다
in violent 극심히; 매우
presumptuous 주제넘은(= doing something that they have no right or authority to do)
take leave to doubt 의심하다   the rub 곤란함; 장애; 마찰
turn to ~에 의존하다

한글 번역 사람들은 항상 '청춘의 문제'에 대해 이야기한다. 만약에 있다면─난 그것에 회의적이지만─ 그런 문제를 만들어낸 사람들은 바로 나이 든 사람들이지 젊은이 본인들이 아니다. 근본적인 것에 진지하게 귀 기울이면 아마도 동의할 것이다. 즉, 젊은이들도 결국 인간이라는 사실을. 나이 든 사람들과 똑같은 사람들이 란 말이다. 노인과 젊은이 사이에는 단 한 가지의 차이가 있다; 젊은이는 자신의 앞에 희망찬 미래가 있고 노인은 자신의 뒤에 화려한 미래가 있다는 것이다. 아마도 거기에서 마찰이 일어나는 것일 터이다. 내가 십 대일 때, 나는 내가 그저 젊고 불안정하다고 느꼈다. 나는 그저 큰 학교에 새로 들어온 소년이었으며 내가 문제라고 여겨질 만큼 무언가 흥미로운 존재로 인식되었더라면 아주 즐거움을 느꼈을 것이다. 한편으로 문제가 되는 것은 당신에게 어떤 정체감을 부여하며 이것이 젊은이들이 분주하게 찾으려고 하는 것 중 하나이다. 나는 젊은이들이 재미있다(흥분을 준다)고 느낀다. 그들에게는 자유의 기운이 있으며, 비열한 야망이라든가 안정에 대한 갈망 따위와 같은 지겨운 헌신이 없다. 이들은 열심히 사회적 지위의 계단을 오르려 하지 않으며 물질적인 것들에 대해 헌신하지 않는다. 이 모든 것들은 내가 그들을 생명, 그리고 사물의 근원과 연결 짓게 만든다. 이것은 마치 어떤 우주적인 존재감에서 보면 그들이 우리 교외의 존재들과 너무나 큰 대조를 이루고 있는 것 같다. 이런 모든 것이 내가 젊은이를 만날 때 드는 생각의 전부다. 그는 어쩌면 자만하고, 매너 없고, 건방지거나 바보 같을 수도 있다. 하지만 난 마치 순전히 나이 자체가 존경의 이유가 된다는 듯이 노인공경이라는 지겨운 상투성에 기대고 싶지 않다. (젊은이들부터) 날 보호하기 위해서. 나는 우리가 동등하다는 것을 받아들이며 만약 그가 틀렸다고 생각하면, 동등한 존재로서 그 젊은이와 논쟁할 것이다.

Step 1	Survey
Key Words	the young; old man; freedom
Signal Words	difference
Step 2	**Reading**
Purpose	to debunk the notion that young people are a "problem"
Pattern of Organization	comparison&contrast
Tone	critical
Main Idea	Young people have merit and should be accepted as equals.
Step 3	**Summary**
지문 요약하기 (Paraphrasing)	Young people have merit and should be accepted as equals. They have a unique freedom in their search for a certain identity.
Step 4	**Recite**
	요약문 말로 설명하기

08 하위내용영역 일반영어 A형 기입형 배점 2점 예상정답률 50% 본책 p.094

모범답안 In the development of language, "I have" precedes "there is to me".

채점기준
- 2점 : 모범답안과 같거나 의미가 유사하였다.
- 0점 : 모범답안과 다르다.

한글 번역 "가지고 있다"라는 말은 기만적으로 단순한 표현이다. 모든 인간은 육체, 의복, 집 등 무언가를 가지고 있으며—나아가 현대의 남녀에 이르면 차, 텔레비전, 세탁기 등도 가지고 있다. 무언가를 갖지 않고 산다는 것은 사실상 불가능하다. 그렇다면 어째서 소유라는 게 문제가 되는가? 하지만 '소유'의 언어학적인 역사는 이 말이 정말로 문젯거리라고 지적한다. 소유하는 것이 인간 존재의 가장 자연스러운 범주라고 믿는 사람들은 많은 언어에 "가지다"에 해당하는 말이 없다는 걸 알면 퍽 놀랄 것이다. 예를 들어, 히브리어로, "나는 가지고 있다"라는 말은 *jesh li* ("그건 내게 속하다")라는 간접적인 형태로 표현돼야 한다. 사실상, "나는 가지고 있다"라는 표현보다는 위에 말한 식으로 소유를 표현하는 언어가 우세하다. 많은 언어의 발달에 있어서 "그것이 내게 속한다"라는 구조가 나중에 "나는 가지고 있다"라는 구조로 대체된다는 것을 알면 재미있다. 하지만 에밀 벤베니스트가 지적했듯이, 언어의 발달이 그 반대 방향으로는 이루어지지는 않는다. 이 사실이 암시해 주는 걸 보면, "가지다"에 해당하는 말은 사유재산의 발달과 관련되어 발달하는 반면, 기능 위주의 재산, 즉 사용을 위한 소유가 지배적인 사회에는 그 말은 없다.

NOTE

Step 1	Survey
Key Words	"to have"; linguistic history; possession
Signal Words	why then; yet; this fact; while
Step 2	**Reading**
Purpose	to show the way in which "to have" comes to develop in a culture along with the concept of private property
Pattern of Organization	not clear
Tone	neutral
Main Idea	Not all language use words for "to have", which develops alongside the concept of private property in a given culture.
Step 3	**Summary**
지문 요약하기 (Paraphrasing)	Despite the Western familiarity with "having", not all languages use words for "to have", which are shown to appear in a culture along with the concept of private property.
Step 4	**Recite**
요약문 말로 설명하기.	

모범답안 the domination of nature, the Church and despotism (the absolutist state).

채점기준

• 2점: 모범답안과 같거나 의미가 유사하였다.
• 0점: 모범답안과 다르다.

한글 번역   유럽과 미국 현대사는 사람을 구속하던 정치적, 경제적, 정신적 족쇄에서 벗어날 자유를 얻기 위한 노력에 집중되었다. 자유를 향한 투쟁은 지켜야 할 특권을 가졌던 사람들에 대항하여 새로운 자유를 원하던 억압받는 이들(피압제자들)에 의해서 일어났다. 하나의 계층이 지배로부터 자신의 자유를 위해 싸웠지만, 이들은 자신들이 인류의 자유를 위한 투쟁을 한다고 믿었고 그래서 압제된 모든 사람에게 깃든 자유를 향한 갈망, 즉 하나의 이상으로서 호소력이 있을 수 있었다. 많은 실패에도 불구하고, 자유는 투쟁에서 승리하였다. 압제에 대항하여 투쟁하다 죽는 것이 자유 없이 사는 것보다 낫다는 확신에서 많은 사람이 자유를 위한 투쟁에서 죽었다. 이러한 죽음은 그들의 개인 존재에 대한 최대의 확언이었다. 역사는 사람들이 자기 자신을 지배하고 자신을 위해 결정을 내리고 자신이 좋다고 여기는 대로 생각하고 느낄 수 있음을 증명하는 것 같았다. 인간이 지니고 있는 잠재력에 대한 완전한 표현이 목적인 것처럼 보였는데, 사회발전이란 그 목적을 위해 급속하게 나아가는 것이었다. 경제적 자유주의, 정치적 민주주의, 종교적 자율주의, 사생활에서의 개인주의 등의 원리들은 자유를 향한 갈망을 표현하게 해주고, 동시에 인간이 자유의 실현에 더 가까이 가도록 해주는 것 같았다. 연달아 구속하던 것들이 끊어져 버렸다. 인간은 자연의 지배를 극복했고 스스로 자연의 주인이 되었다. 교회의 지배와 전제군주제의 정부를 극복했다. 외부의 지배 철폐는 그토록 소원해 왔던 목표―개인의 자유―를 이루는 필요조건일 뿐 아니라 충분조건인 듯했다.

NOTE

Step 1	Survey
Key Words	modern European and American history; freedom; battles
Signal Words	while; despite
Step 2	Reading
Purpose	to show the importance of seeking freedom for modern European and American culture and individuals
Pattern of Organization	series; time order
Tone	critical
Main Idea	Modern European and American history is centered around the effort to gain freedom.
Step 3	Summary
지문 요약하기 (Paraphrasing)	Modern European and American history is centered around the effort to gain freedom. The impediments of politics, nature, the Church and external domination were steps toward the final goal of freedom of the individual.
Step 4	Recite
요약문 말로 설명하기	

유희태 일반영어 ②

2S2R

유형

모범답안 및 번역

_Part

02

서술형

의미 찾기

| 01 | 하위내용영역 일반영어 A형 서술형 | 배점 4점 | 예상정답률 45% | 본책 p.100 |

모범답안 Judgement Number One is the selection by a reporter of the 10 out of 50 total facts from an issue they will include in their article. Likewise, Judgement Number Three is the editor's decision to place the article on the front page or hidden deeper in the day's news. Second, they are similar in that both of them involve judgments by reporters and editors. Third, the word is "interpretation".

채점기준

+1점 : Judgement Number One이 많은 기사거리 중에서 "the selective choosing by a reporter"이라는 취지로 서술하였다.
» 다음과 같이 답을 해도 1.5점을 준다.
  "Judgement Number One is the selective choosing by a reporter of which the 10 out of 50 facts from a story they will choose to publish an article"
+1점 : Judgement Number Three가 "신문에서 기사가 어디(몇 페이지)에 배치될 것인지에 대한 편집자의 선택"이라고 서술하였다.
+1점 : 뉴스를 제공하는 것과 뉴스를 해석해주는 것 사이의 유사점이 "관계된 사람들(기자와 편집자)의 판단이 개입된다는 점"에 있다고 서술하였다.
+1점 : 빈 칸에 들어갈 단어를 "interpretation"이 정확히 답하였다. 이 외에는 답이 될 수 없다.

한글 번역 신문은 독자에게 사실을 기울어지지 않고, 객관적으로 엄선된 사실들을 제공해야만 한다. 그러나 복합적인 뉴스가 있는 오늘날엔 신문은 그 이상을 제공해야만 한다. 신문은 해석, 즉, 사실들의 의미를 제공해주어야만 한다. 이것은 미국의 언론이 직면하고 있는 가장 중요한 과제이다―독자에게 그날의 문제들을 분명히 하는 것, 국제 뉴스를 지역사회 뉴스만큼이나 이해하기 쉽게 만드는 것, 국제적인 영역의 어떠한 사건이라도 인력 징발과 경제적 압박에서, 정말로 우리 삶의 바로 그 방식의 측면에서 지역의 반응을 가지기 때문에, 이제는 '지역' 뉴스 같은 것은 더 없다는 것을 인지하는 것. 언론에서는 당신이 해석하기 시작할 때, 파도가 일렁이고 위험한 물, 즉 여론의 휘몰아치는 흐름으로 들어가고 있는 것이라는 널리 퍼진 견해가 있다. 이것은 난센스다.

해석을 반대하는 사람들은 작가와 편집자가 자기 자신을 '사실'에 국한해야 한다고 주장한다. 이 주장은 두 가지 의문을 일으킨다. 첫 번째 의문에 관해서는, 소위 말해 '사실적인' 기사가 어떻게 생겨나는지 생각해보라. 기자가 50가지의 사실을 수집한다고 하자. 50개 중에서, 그의 지면 공간 할당은 분명히 제한되어 있기 때문에 그는 자신이 가장 중요하다고 생각하는 10가지를 고른다. 이것이 제1의 판단이다. 그리고 나서 그 기자나 그의 편집자는 이 열 가지 사실 중에서 어떤 것들이 기사의 앞머리를 구성할 것인지 결정한다. 이것은 중요한 결정인데 왜냐하면 많은 독자가 첫 번째 문단 이후로는 계속해서 읽지 않기 때문이다. 이것이 제2의 판단이다. 그리고 나면 야간 편집자가 이 기사가 큰 영향을 가지고 있는 첫 번째 장에 놓여야 할지, 혹은 영향력이 거의 없는 스물네 번째 장에 놓여야 할지 결정한다. 제3의 판단이다.

그러므로 소위 말하는 '사실적인' 혹은 '객관적인' 기사가 날 때는, 적어도 세 가지의 판단이 개입되어 있다.

그리고 이 판단들은 해석에 개입되는 판단들과 전혀 다를 바 없는데, 이 해석에서 기자와 편집자는, 그들의 일반적 배경과 '뉴스 중립주의'를 주장하면서, 뉴스의 중요성에 관한 결론에 다다르게 된다. 판단의 두 가지 영역인 뉴스의 발표와 그 뉴스의 해석은 둘 다 주관적인 과정이라기보다는 객관적인 과정이다—다시 말해, 어느 인간이라도 객관적일 수 있을 만큼 객관적이다. 만약 어떤 편집자가 뉴스를 편향되게 제시하려 의도한다면, 그는 다른 방식으로 해석보다 더 효과적으로 그렇게 할 수 있다. 그 편집자는 자신의 특정한 변론을 뒷받침하는 사실들을 선택함으로써 그렇게 할 수 있다. 혹은 그는 자신이 기사를 주는 행위를 통해—그 기사를 첫 번째 장으로 격상시키거나 30번째 장으로 격하시킴으로써—그렇게 할 수 있다.

NOTE

Step 1	Survey
Key Words	newspaper; interpretation; Judgement
Signal Words	opponents insist that…; As to the first query; This is…; Then he; Thus
Step 2	Reading
Purpose	to outline the value of interpretation in journalism
Pattern of Organization	series
Tone	critical
Main Idea	Newspapers should provide interpretation of facts.
Step 3	Summary
지문 요약하기 (Paraphrasing)	Newspapers should provide interpretation of facts. Though some think interpretation is risky, it is necessary. While "facts" are key, there are inherently judgements made in their selection, ordering, and placement. Thus, it is important to note an editor has powers to slant the piece based on these factors which are similar to the power of interpretation in their subjective nature, while trying to remain objective as possible.
Step 4	Recite
	요약문 말로 설명하기

모범답안 The "landmark" study revealed that lifespans were increased greatly by social contact. Second, a follow-up study by Dr. Holt revealed that this effect was objective, even if a subject felt lonely or didn't enjoy company with others, the positive effect on lifespan still occurred. Third, the word is "solitary".

채점기준

+1점 : 이정표가 되는 획기적 연구가 발견한 것이 "사람이 사교적일수록 더 오래 산다는 것"이라고 서술하였다. 또는 "사람이 홀로 외롭게 살수록 덜 오래 산다는 것"이라고 서술해도 2점을 준다.

+2점 : 홀트박사의 연구가 "수명에 영향을 주는 것은 주관적인 것이 아니라 객관적인 것"이라고 서술하였다.

+1점 : 빈 칸에 들어갈 단어를 "solitary"라 정확히 답하였다.

감점 〉〉〉

• 문법적으로 2-3개의 오류 0.5점 감점
• 표현상으로 2-3개의 오류 0.5점 감점
• 문법적으로 4개 이상의 오류 1점 감점
• 표현상으로 4개 이상의 오류 1점 감점

한글 번역 | 오늘날 '독립심'은 이론의 여지 없이 미국인이 소중하게 여기는 상징적인 가치로 자리 잡았다. 이전 세대가 은퇴한 이후 가족과 함께 살았다면, 이제는 자신의 선택으로 홀로 살기를 택하는 노년층이 크게 늘었다. 편리한 디지털 기술이 등장하면서 타인과 직접 대면하지 않아도 온라인으로 일하고 쇼핑하고 결제까지 할 수 있게 됐다. 미국 전체 인구 가운데 10%가 외딴 사무실에서 홀로 일하며 13% 이상이 혼자 사는 것으로 나타났다. 미국에서 1인 가구 비중은 역대 최고치를 기록했다.

최근 발표된 연구 결과에 의하면, 고독을 아무리 즐기는 사람이라고 하더라도, 외로움은 수명을 단축시킨다고 한다. 연구진은 혼자 살거나 혼자 살지 않더라도 홀로 있는 시간이 많으면, 당사자가 고독을 즐기는지 여부와 상관없이, 신체건강과 정신건강에 해로울 수 있다고 주장했다. 다음 세 가지(혼자 산다, 혼자 보내는 시간이 많다, 자주 외로움을 느낀다) 가운데 하나라도 해당한다면, 앞으로 7년 안에 사망할 위험이 세 가지 가운데 한 가지에도 해당되지 않는 사람보다 약 30% 높다. 연구진은 직접 만나서 상호작용 하는 것이 생리학적 효과를 미친다는 확신을 갖게 됐다.

1979년 '미국 역학 저널'에는 역사적인 종단적 연구 결과를 담은 논문이 게재됐다. 연구진은 캘리포니아 북부 마을 주민 거의 전체를 9년 동안 추적했다. 친밀한 파트너가 있을 뿐만 아니라 정기적으로 만나는 친구들도 있고 교회에서 자원봉사도 하는 사람이 고독하게 사는 사람보다 더 오래 살았다. 물론, 일각에서는 수명을 좌우하는 핵심 요인이 사회적 접촉인지 아닌지에 대해 반론을 제기하기도 했다. 사교적인 사람이 처음부터 건강했을 수도 있고, 고립된 사람이 우울증이나 장애처럼 수명을 단축하는 숨겨진 문제를 애초부터 갖고 있었을지도 모른다는 것이다. 줄리앤 홀트 박사가 이끄는 연구진은 위 단락에서 거론한 '혼란 변수'를 대조군으로 삼았다. 또한 연구진은 (사회적 접촉이 생리학적으로 미치는) 효과가 항상 선호나 심리 상태의 문제만은 아니라는 사실을 발견했다. 예전에는 중요한 것은 주관적인 경험이라고 생각했었다. 미혼이든 기혼이든, 며칠씩 혼자 지내든 사람들과 어울리든, 자주 외롭다고 느끼는 사람은 혈압이 올라가고 면역 기능이 저하된다고 믿었다.

그러나 이번에 발표된 연구 결과는 타인과 접촉하는 빈도를 객관적으로 측정하는 것이 중요하다고 지적했다. 홀트 박사는 이렇게 설명했다. "나는 커리어 내내 사회적 지지에 대해 연구했다. 우리의 지각이 생물학적 기능에 강력한 효과를 미친다고 확신한다." "그러나 우리의 지각과 관계없이 건강을 결정짓는 다른 요인들이 있다."

02

NOTE

Step 1	Survey
Key Words	personal independence; living alone; social support
Signal Words	Many researches; however found…; The new research found…
Step 2	**Reading**
Purpose	to show the negative influence of living alone
Pattern of Organization	compare&contrast
Tone	neutral
Main Idea	Research has shown that social contact raises the likelihood of a longer life.
Step 3	**Summary**
지문 요약하기 (Paraphrasing)	Research has shown that social contact raises the likelihood of a longer life in modern America. The recent generations have sought personal independence and solo living. However, a major study shows that those that had intimate partners and socialized were twice as likely to survive, regardless of their perceptions of their life.
Step 4	**Recite**
	요약문 말로 설명하기

　　모범답안　Genetically-Modified (G.M.) crops appeal to developing countries because they have produced more food and profit there than in more established countries. Likewise, they are hoped to help solve hunger and famine there. Alternatively, the UN World Food Program cites the three top reasons for hunger problems as(being) : a lack of investment for transportation infrastructure, wastage and war.

채점기준

+3점 : 유전자조작작물이 개발도상국에 매력적인 이유를 1. "because GM crops have produced more food and profit there than in more established countries"(1.5점). 2. "유전자조작작물이 hunger and famine을 해결할 수 있다"(1.5점)고 믿기 때문이라 서술하였다.
+1점 : 유엔식량기구에서 말하는 식량부족의 핵심적 이유를 "a lack of investment for transportation infrastructure, wastage and war"라 서술하였다.
>> 3개중 2개만 서술했으면 0.5점을 준다.
>> 3개중 0-1개만 서술했으면 0점을 준다.

감점 >>>
• 문법적으로 2-3개의 오류 0.5점 감점
• 표현상으로 2-3개의 오류 0.5점 감점
• 문법적으로 4개 이상의 오류 1점 감점
• 표현상으로 4개 이상의 오류 1점 감점

　　한글 번역　｜　믿거나 말거나, 적어도 어떤 장소들에서는, 소비자들이 유전자 조작 식품을 제대로 피하고 있지 않다. 미국에서 유전적으로 조작되지 않은 콩이나 옥수수 알갱이를 찾기는 힘들다. 유전자 조작 식품이 그 지역에서 보편적이라는 것이 인식되지 못했을 수도 있는데 그 이유는 미국의 식품 제공자들이 유전자 변형 농산물에 관한 내용을 밝힐 필요가 없기 때문이다. 또한, 이런 정보에 대한 요구의 외침도 거의 없는 듯하다. 건강을 의식하는 캘리포니아의 2012년 국민투표에서, 유권자들은 라벨을 붙이기를 요구하는 것을 가까스로 거부했다. 라벨을 붙이는 규칙은 유럽에서 더 엄격하고, 그래서 그곳에서는 유전자 변형 식품이 훨씬 더 적게 생산되거나 소비된다. 유럽 위원회가 회원국들이 지역적인 수준에서 승인된 유전자 변형 농산물의 사용을 제한하는 것을 허용하도록 한 4월의 한 결정은 대중들이 그 식품들에 우호적이지 않다는 것을 시사한다.
　　그러나 유전자 변형 작물은 개발도상국에서 더욱더 널리 퍼지고 있다. 이 작물의 사용은 라틴 아메리카, 아시아와 아프리카에 걸쳐 허용되고 있다. 브라질은 미국 다음으로 두 번째로 큰 생산국이며, 그다음은 아르헨티나이다. 유전자 조작 식품의 광범위한 경작은 중국, 파라과이와 남아프리카에서도 발생한다. 2012년에는 처음으로, 개발도상국에서 유전자 조작 작물이 재배되는 면적이 선진국에서 재배되는 면적보다 더 컸다. 개발도상국들의 지배는 그 이후로 느슨해지지 않았다. 개발도상국의 농부들은 2014년에 유전자 조작 작물을 약 9,500만 헥타르(2억 3,500만 에이커) 정도 심었는데, 이는 2003년에 심었던 것의 5배보다도 더 많다. 이는 산업 국가에서 약 8,600만 헥타르까지 배가된 것과 비교된다. 개발도상국에서 인기가 있는 한 가지 이유는 명확하다. 유전자 변형 작물이 가져다주는 수확량과 이윤의 증가가 선진국보다 그곳에서 훨씬 더 컸다. 개발도상국은 또한 많은 굶주림이 존재하는 곳이며, 그것을 완화하기 위해 유전자 조작 작물의 성공에 많은 희망이 꽂혀 있다.
　　그러나 유전자 조작 농산물의 다른 측면과 마찬가지로, 굶주림을 줄이고 세계 식품 공급을 늘리는 것에 대한 그들의 효용성에 대해 의심이 제기되어왔다. 몇몇 연구자들은 실내 농업이 그 둘 모두를 더 유순한 방식으로 할 수 있을 것이라고 주장한다. 빛, 물, 그리고 다른 요소들에 대해 전적인 통제를 하는 것은 식량이 실외에서보다 훨씬 더 빨리 자라도록 할 수 있다고 그들은 말한다. 유엔 세계 식량 프로그램은 제한된 공급이 식량 부족의 주요 원인이 아니라고 주장한다. 식량이 자라는 곳으로부터 소비되는 곳으로 가져갈 인프라에 대한 투자가 적은 것이 낭비나 전쟁만큼이나 더 큰 장본인이다.

NOTE

Step 1	Survey
Key Words	Genetically modified foods; public; developing world; food supply
Signal Words	In 2012; But as with other aspects; Some researchers contend
Step 2	**Reading**
Purpose	to raise awareness of the growing usage of genetically modified crops
Pattern of Organization	series
Tone	concerned
Main Idea	G.M.O.'s are becoming more common but their usefulness or public popularity is unproven.
Step 3	**Summary**
지문 요약하기 (Paraphrasing)	G.M.O.'s are becoming more common but their usefulness or public popularity is unproven. In America there is low awareness of their prevalence while in Europe there are labeling and growing limits that show a lack of acceptance. They are being used with greater frequency in the developing world with greater yields in hopes of combating hunger. However, there is doubts if G.M.O.'s are a proper solution to food shortages.
Step 4	**Recite**

요약문 말로 설명하기

모범답안　Alternative splicing is the process that gene products are arranged into proteins. Second, alternative splicing allows for more complexity to come from the same genes, which makes greater diversity among life forms, and thus could be responsible for human intelligence.

채점기준

+1점 : Alternative splicing이 무엇인지 서술하였다. 즉, Alternative splicing이 "the process that gene products are arranged into proteins"이라고 서술하였다.

+3점 : Alternative splicing이 왜 인간이 가장 똑똑한 생명체가 되었는지 설명해주는 열쇠인지를 설득력 있게 서술하였다. 즉, Second, alternative splicing allows for more complexity to come from the same genes, which makes greater diversity among life forms, and thus could be responsible for human intelligence."라고 서술하였다.

+1점 : Alternative splicing이 왜 인간이 가장 똑똑한 생명체가 되었는지 설명해주는 열쇠인지를 서술했으나, 명확하지 않고 애매모호하였다.

한글 번역　벤자민 블렌코와 그의 팀은 최근 어떻게 PTBP1이라고 불리는 단백질 내의 작은 변화가 포유류의 뇌가 척추동물 사이에서 가장 크고 복잡해지도록 한 진화를 부채질했을 수도 있었던 신경세포—뇌를 만드는 세포—의 생성에 박차를 가하는지 밝혀냈다.

　뇌의 크기와 복잡성은 척추동물 전체에 걸쳐 매우 다양한데, 이런 차이들이 어떻게 발생했는지는 분명하지 않다. 예를 들어, 인간과 개구리는 3억 5천만 년 동안 따로 진화해오고 있었고 따라서 매우 다른 뇌의 능력을 갖추고 있다. 그러나 과학자들은 이들이 몸의 장기를 구축하기 위해 몹시 유사한 유전자의 목록을 사용한다는 것을 보였다.

　그러면 어떻게 비슷한 숫자의 유전자가, 또한 다양한 척추동물 종 안에서 켜졌다 꺼졌다 하면서, 방대한 범위의 장기 크기와 복잡성을 만들어 내는 걸까?

　그 열쇠는 블렌코의 그룹이 연구한 선택적 접합으로 알려진 과정에 놓여있는데, 이 과정에서 유전자 산물이 생명체의 구성요소가 되는 단백질로 결합한다. 선택적 접합을 하는 동안, 엑손이라고 불리는 유전자 조각이 섞여서 다른 유전자 형태를 만든다. 이것은 마치 몇몇 조각이 마지막 단백질 형태에서 빠질 수도 있는 레고와 같다.

　선택적 접합은 세포들이 단일한 유전자에서 둘 이상의 단백질을 만들 수 있도록 하여, 한 세포 안에 있는 다른 단백질의 전체 수가 사용 가능한 유전자의 수를 크게 뛰어넘게 된다. 언제든 단백질 다양성을 통제할 수 있는 세포의 능력은 몸에서 다른 역할들을 떠맡을 수 있는 자신의 능력을 반영한다. 선택적 접합의 보급은 척추동물의 복잡성에 따라 증가한다. 따라서 비록 척추동물의 몸을 구성하는 유전자들은 비슷할지라도, 그 유전자들이 낳는 단백질은 새나 개구리들 사이에서보다는 포유류와 같은 동물 내에서 훨씬 더 다양하다. 그리고 뇌에서만큼 선택적 접합이 널리 퍼져있는 곳은 없다.

NOTE

Step 1	Survey
Key Words	Benjamin Blencowe; brain size; protein; genes; alternative splicing
Signal Words	Humans and frog; for example; During AS; So although···
Step 2	Reading
Purpose	to show how Blencowe's discovery could have fueled mammalian brains to become complex
Pattern of Organization	cause&effect
Tone	neutral
Main Idea	Benjamin Blencowe discovered the arrangement of genes creates a change in protein PTBP1 that shows more diversity in complex vertebrae which could explain differences from similar, simpler organisms.
Step 3	Summary
지문 요약하기 (Paraphrasing)	Benjamin Blencowe discovered the arrangement of genes creates a change in protein PTBP1 that shows more diversity in complex vertebrae which could explain differences from similar, simpler organisms. The process of alternative splicing manifests differing protein shapes out of gene fragments. This alternative splicing occurs more prevalent in complex vertebrae.
Step 4	Recite
	요약문 말로 설명하기

모범답안 The long-held theory is that human babies are born so ill-equipped for survival due to limits on what a female's body can accommodate in terms of head size through the birth canal. Second, human babies are born underdeveloped and helpless because of the metabolic limits of mothers as opposed to other primates that need less time to gestate (for gestation).

채점기준

+2점 : 오랫동안 유지되어온 이론을 "human babies are (born) so helpless and underdeveloped due to limits on what a female's body can accommodate in terms of head size through the birth canal" 이라고 올바르게 답하였거나 유사하게 답하였다.

》 다음과 같이 답을 해도 2점을 준다.

"human babies are (born) so helpless and underdeveloped due to the short duration of gestation, which is caused by the size of the birth canal" or "human babies are (born) so helpless and underdeveloped because the length of human pregnancy is limited by the size of the birth canal"

+2점 : 인간이 다른 영장류보다 태어날 때 무력하고 덜 발달된 이유가 "the metabolic limits of mothers" 때문이라고 답하였다.

한글 번역 인간을 다른 유인원과 분리하는 두 가지 특성인 큰 뇌와 직립보행 능력은 출산에서는 불화를 일으킬 수도 있다. 큰 뇌와 그것을 감싸는 큰 머리는 인간의 산도를 뚫고 지나가기 어렵지만, 더욱더 넓은 골반이 이족보행에 지장을 줄 수도 있다. 과학자들은 '산과의 딜레마'로 알려진 이 문제에 대한 자연의 해결책이 임신의 기간을 줄여 아기들이 그들의 머리가 너무 커지기 전에 태어난다고 오랫동안 주장해왔다. 결과적으로, 인간 아기들은 움직임과 인지적 능력에 있어서 다른 유인원과 비교하였을 때 상대적으로 무력하고 발육이 불완전해 보인다.

　인간 진화의 이 모든 흥미로운 현상들인 이족보행, 어려운 출산, 여성의 넓은 고관절, 큰 뇌, 상대적으로 무력한 아기들은 전통적으로 산과의 딜레마와 함께 묶여 있었다. 이것은 인류학 강좌에서 수십 년간 가르쳐져 왔지만, 이것이 정말로 진실이라는 구체적인 증거를 찾아보았을 때, 나는 성공하지 못했다.

　이 이론의 문제점은 더 발달한 아이를 낳기에 충분히 넓은 고관절이 걷는 데 장애가 되었을 것이라는 증거가 없다는 것이었다. 이것은 산도의 크기가 이족보행에 의해 제한된다는 가정에 의문을 던졌다. 넓은 고관절은 당신이 효율적으로 걸을 수 없다는 것을 의미하지 않는다. 엄마의 몸 크기를 고려하여, 인간의 임신 기간은 다른 유인원과 비교하였을 때 예상보다 약간 더 길지 더 짧은 것이 아니다. 그리고 아기들은 예상보다 약간 더 크지 더 작지 않다. 비록 아기들은 그와 같이 행동하지만, 그들은 일찍 태어나지 않는다.

　일반적으로 포유류에게, 인간을 포함해서, 임신 기간의 길이와 자손의 크기는 엄마의 몸의 크기에 의해 예상할 수 있다. 신체 크기는 어떤 동물의 신진대사 비율과 기능의 훌륭한 대용물이기 때문에, 신진대사는 인간의 출산 시기에 대해 골반보다 더 나은 설명을 제공할지도 모른다. 여성은 그들이 신진대사의 위험 영역으로 막 들어가려 할 때 출산을 한다. 임신하는 동안, 여성은 그 에너지의 최대 한계에 다가가고 그들이 거기에 도달하기 전에 아기를 낳는다. 이것은 인간의 임신 기간과 태아 성장에 에너지의 한계가 있다는 것을 시사한다. 이러한 신진대사의 제약은 인간 아기가 침팬지와 같은 다른 유인원 친족과 비교해서 왜 이렇게 무력한지 설명하는 것을 돕는다. 침팬지 아기는 한 달 만에 기어 다니기 시작하는 반면, 인간 아기는 약 일곱 달이 될 때까지 기어 다니지 못한다. 그러나 인간이 침팬지와 같은 발달 수준에 있는 새 생명을 낳기 위해서는, 16개월의 임신 기간이 걸릴 것이다. 그것은 엄마들이 자신의 에너지 한계를 족히 넘도록 할 것이다. 실제로, 임신 기간의 한 달 초과조차도 신진대사의 위험 영역을 넘어갈 것이다.

NOTE	
Step 1	**S**urvey
Key Words	human beings; walking; brain size; birth; obstetric dilemma; gestation; energetic limits
Signal Words	Two traits that…; As a result; The problem with this theory is…; For mammals in general
Step 2	**R**eading
Purpose	to evaluate the nature of human gestation length and causes
Pattern of Organization	cause&effect
Tone	critical
Main Idea	The obstetric dilemma inaccurately addresses the reasoning for human gestation length, which is likely to be the energetic limits of humans.
Step 3	**S**ummary
지문 요약하기 (Paraphrasing)	The obstetric dilemma inaccurately addresses the reasoning for human gestation length, which is likely to be the energetic limits of humans. The obstetric dilemma first posited that gestation length was short to ensure bipedal walking which was thought to be hindered by a baby with a bigger brain and wider hips. However, it turns out the gestation period is not early nor is a detriment to walking. In fact, women give birth just before they reach the metabolic danger zone.
Step 4	**R**ecite
	요약문 말로 설명하기

06 하위내용영역 일반영어 B형 서술형   배점 4점   예상정답률 50%   본책 p.116

모범답안 Technocrats take a utilitarian approach to city planning, unlike the aesthetic approach of architects. Second, (it suggests that) technocrats knew the stress of city life in their allowance of parks. Third, the word is "functional".

채점기준

+2점: 기술 관료와 건축가의 차이를 "Technocrats take a utilitarian(functional) approach to city planning, unlike the aesthetic(또는 design-oriented) approach of architects"라고 서술하였거나 유사하게 서술하였다.

》 위의 답안에서 둘 중 하나만 언급되었으면 1점만 준다.

+1점: 밑줄 친 부분이 기술 관료들에 대해 시사하는 바가 "technocrats knew the stress of city life in their allowance of parks (that please people)"라고 서술하였거나 유사하게 서술하였다.

+1점: 빈 칸에 들어갈 단어를 "functional"이라 정확히 답하였다.

한글 번역   산업 시대의 거대한 대도시의 발생과 함께, 서양의 도시 계획이 건축가의 손을 떠나 테크노크라트의 손으로 들어왔다. 도시를 아름다움을 향한 눈을 가지고 지어져야 할 예술 작품으로 생각했던 건축가와는 달리, 테크노크라트는 도시 계획에 항상 순수하게 기능적인 접근을 취해왔다. 도시는 그 거주자들의 요구를 수행할 유일한 목적을 위해 존재한다. 이것의 외부적 모습에는 내재적인 가치가 없다.

수 세기의 기간 동안, 이 새로운 도시 계획자 종류는 서구 도시의 모습을 영원히 바꾸는 데에 성공해왔다. 어떠한 거대 도시의 짧은 방문도 그 암울한 사실을 확인하기에 충분하다. 어느 무심한 관찰자조차도 전형적인 도시 풍경이 네모진 교차로와 길고 곧으며 지루한 거리를 가지고 있는 지루한 체스판 패턴의 선을 따라 배열되어 있다는 것을 알아차리는 데에 실패할 수는 없을 것이다. 엄격한 건물 법규는 구조물 간에 단지 경미한 차이밖에 없는 보기 흉한 이웃의 과잉이라는 결과를 낳았다. 즐비하게 늘어선 땅딸막한 콘크리트 아파트 건물들과 줄지어 있는 거대한 철강과 유리 마천루는 더 오래되고, 더 개인적인 건물들을 거의 완전히 대체해왔다. 게다가, 많은 도시의 사랑스러운 자연적 환경은 더 이상 도시 풍경의 일부가 아니다. 무엇보다도, 한때는 너무도 많은 거대 도시 배경의 일부였던 언덕과 강은 이제 주로 기능적인 건축물에 의해 지워져 버렸다.

이 모든 도시의 어두운 그림자로 에워싸인 홀로 있는 밝은 점은 지역 공원 시스템인데, 이것은 대부분의 서구 도시들에서 발견된다. 예를 들어, 크고, 중심에 있는 공원들인 뉴욕의 센트럴 파크나 런던의 하이드 파크 ―그리고 더 작고, 외딴 공원들은 인공적인 단조로움을 깨뜨림으로써 서구 도시들에 어느 정도의 아름다움을 가져온다. 그 공원들의 녹색 초목, 빽빽한 숲, 그리고 쾌적한 연못, 개울과 폭포와 함께, 지역 공원 시스템은 또한 도시 거주자들에게 도시 생활의 극심한 부담에서 벗어나 쉬거나 재창조 할 수 있는 기회의 막대한 집합을 제공한다. 만약 테크노크라트가 도시 지역에서의 삶의 질에 대해 다른 어떤 것도 이해하지 못했다면, 이들은 적어도 사람들이 도시의 혼란스러운 부산함으로부터 벗어날 조용한 은신처가 필요하다는 것을 인식할 수 있는 좋은 감각을 가졌다.

NOTE

Step 1	Survey
Key Words	planning; technocrat; urban planning; dull; park system
Signal Words	Over the span of a few centuries⋯.; Moreover; For the most part; The lone bright spot⋯

Step 2	Reading
Purpose	to criticize urban planning and praise the park system
Pattern of Organization	series
Tone	critical
Main Idea	City planning has changed in an unpleasant way except for in parks, which offer pleasant escape.

Step 3	Summary
지문 요약하기 (Paraphrasing)	City planning has changed in an unpleasant way except for in parks, which offer pleasant escape. Once, cities had been artistic and beautiful. Over time, buildings and city order has become dull and impersonal to accommodate function. However, the parks have retained their beauty and are more important than ever as escapes from the experience of urban life.

Step 4	Recite
요약문 말로 설명하기	

07 하위내용영역 일반영어 A형 서술형   배점 4점   예상정답률 45%   본책 p.118

모범답안 The word for the blank is "intellectual pluralism". Second, the writer believes prejudice are difficult to distinguish from truth but that in checking prejudices in conflict to one another, a higher degree of truth can be attained.

채점기준
- 4점 : 모범답안과 같거나 유사하였다.
- 2점 : 둘 중 하나만 맞았다.
- 0점 : 모범답안과 다르다.

어휘

elusive 파악하기 어려운, 알기 어려운   do away with ~을 없애다, 처분하다, 폐지하다
pit 싸우게 하다, (사람, 기술 등을) ~과 겨루게 하다, 경쟁시키다
pluralism 다원성, 다원주의   withering 활기를 잃게 하는, 기를 죽이는, 압도적인

한글 번역 편견을 가진 신념과 단지 논란이 많은 신념의 경계는 파악하기 어려운 것이며, 열심히 들여다볼수록 그 경계는 더 파악하기 어렵게 된다. "신은 동성애자를 증오한다."라는 말은 그것을 믿는 사람들에게 편견이 아니라 사실의 진술이다. "미국의 범죄자들은 불균형적으로 흑인이다."라는 말은 그것을 믿지 않는 사람들에게 사실이 아니라 편견의 진술이다. 누가 옳은가? 당신은 생각을 정할 수 있고, 다른 사람들도 생각을 정할 수 있으며, 그 생각들이 같아야 할 필요는 없다. 이것이 지적 다원주의의 큰 혁신이다. 우리는 어떤 신념이 편견이고 어떤 신념이 진실인지 미리 또는 확실히 알 수 없지만, 지식을 진보시키기 위해서 반드시 알아야 하는 것도 아니다. 지적 다원주의의 특성은 편견이나 교리를 버리는 것이 아니라 그것들을 소통케 하는 것, 즉 편견과 편견을 또는 신조와 신조를 서로 겨루게 하여 그것들을 모두를 통렬한 대중의 비판에 노출함으로써 그것들을 사회적으로 생산적으로 만드는 것에 있다. 마지막에 살아남는 것이 우리의 지식의 기반이 된다.

NOTE

Step 1	Survey
Key Words	controversial; prejudice; intellectual pluralism
Signal Words	none
Step 2	Reading
Purpose	to highlight the benefits of intellectual pluralism
Pattern of Organization	not clear
Tone	subjective
Main Idea	It is not always clear which beliefs are prejudices and which are facts, but intellectual pluralism allows us not to have to agree.
Step 3	Summary
지문 요약하기 (Paraphrasing)	Depending on one's beliefs, the same assertion may be regarded as a prejudice or as a fact. Under intelletual pluralism, we don't have to decide. We can expose the beliefs to public criticism, and in the end, we will have the base of knowledge we need.
Step 4	Recite

요약문 말로 설명하기

모범답안 The three words are "numbers of offspring". Second, as part of an insect's energy budgeting, quiescence helps them to avoid harm from enemies and harsh weather while continuing to digest.

채점기준

• 4점: 모범답안과 같거나 유사하였다.
• 2점: 둘 중 서술형 문제만 맞았다.
• 0점: 모범답안과 다르다.

어휘

be geared to ~에 적합하도록 하다
grooming 차림새, 몸단장; (동물의) 털 손질
lot 무리; 지역
niche (시장의) 틈새; 아주 편한 자리; (특정 종류의 생물이 살기에) 적합한 환경, 적소
quiescence 정지; 무활동; 휴면
stringency 엄중함; 가혹함

entwine 꼬다; 뒤엉키다
inimical 해로운; 적대적인
metabolic 신진대사의, 물질대사의
sperm 정자

한글 번역 넓은 차원에서 보자면, 곤충의 삶은 성공적으로 성숙한 자손들을 가장 많이 생산하는 데 맞추어져 있다. 이 숫자가 곤충의 적응도를 결정한다. 적응도를 극대화하는 방법은 다양하지만, 그들은 결국 모든 생명체의 공통 화폐라고 할 수 있는 시간과 에너지를 절약하는 것과 관련이 있다. 가혹함과 할당이라는 원리에 따라 시간과 에너지의 예산이 진화적으로 마련된다. 이 말은 곤충이 맞닥뜨릴 수 있는 최악의 조건에 적응하도록 예산이 맞추어진다는 것이며, 생존과 번식 활동 사이의 시간과 에너지는 적응도를 극대화하도록 할당된다는 의미이다. 해당 종(種)의 곤충들은 성별에 따라 특정 필수 활동들, 이를테면 먹이활동, 집짓기, 짝짓기, 털 손질, 무활동 등을 수행하기 위해 자신의 시간을 일정량씩 할당한다. 무활동은 천적, 불리한 날씨, 혹은 하루 중 힘들었을 때를 피하게 해주는데, 그동안에도 먹이 소화와 같은 중요한 체내 활동은 계속된다. 먹이활동에 의해 획득된 에너지 역시, 에너지 사용을 놓고 경쟁하는 서로 다른 활동들, 즉 신진대사, 정자나 난자의 생성, 이동, 특정 영양분을 얻기 위한 행위, 짝 찾기, 방어 등과 같은 활동들에 대해 예산 계획이 마련되어야 한다. 최상의 예산이란 후손을 최대한 많이 낳아서 자연 선택의 과정을 통해 전파하는 예산이다. 따라서 우리는 곤충들이 자신들의 행동을 조직화하고 확산시키는 방식은 특정 곤충 환경에 맞게 거의 최적화되었다고 추정할 수 있다.

NOTE

Step 1	Survey
Key Words	fitness; economizing; time and energy; budgeted
Signal Words	according to; such as; thus
Step 2	Reading
Purpose	to describe how insects use their time and energy and to what purpose
Pattern of Organization	description
Tone	neutral
Main Idea	Insects budget their time and energy with the key goal of producing as many successful offspring as possible.
Step 3	Summary
지문 요약하기 (Paraphrasing)	Insects budget their time and energy with the key goal being the production and defense of the greatest number of offspring. The lives of insects are organized to maximize their fitness, which is defined as their ability to produce great numbers of successful offspring. Each species and each sex of that species divides up its time and energy in an optimal way among such activities as feeding, making a nest, mating, and resting.
Step 4	Recite
	요약문 말로 설명하기

02

모범답안 The key evidence given is a study showing that migraines are more common in women and women have a unique gene relating to pain that men do not have. Second, the underlined expression means that boys grow up remaining passive in the face of pain due to this difference in anatomy.

채점기준
• 4점 : 모범답안과 같거나 유사하였다.
• 2점 : 둘 중 하나만 맞았다.
• 0점 : 모범답안과 다르다.

어휘

bear 지탱하다; 견디다, 참다　　　　　　　　conjunction 결합, 연결, 접속
dictate 결정하다, 지시하다, 무조건 강요하다
in conjunction with ~와 함께, ~와 협력하여; ~에 관련하여
migraine 편두통　　　　　　　　　　　　　neurotransmitter 신경 전달 물질
pain threshold 통증역치(통증을 느끼는 최소 자극량)　threshold 문지방, 입구; 한계점, 기준점, 역치

한글 번역　성(性) 역할을 정하고 강화하는 데 있어서의 문화적 편견으로 인해, 여성은 불평을 더 늘어놓는 경향이 있으며, 통증을 더 참지 못한다고 부당하게 특징짓는 결과가 초래됐다고 오랫동안 여겨져 왔다. 많은 곳에서 남자아이들은 통증을 드러내지 않도록 길러지며, 대신에 강인함을 보여주는 행동으로써 통증 앞에 계속 수동적이게 길러진다. 하지만, 최근의 연구 결과는 남성과 여성은 실제로 통증을 다르게 느낀다는 것을 보여준다. 이를테면 남성과 여성은 각각 다른 종류의 진통제를 선호하며, 이러한 진통제인 모르핀과 날부핀은 뇌의 두 가지 다른 부분에 작용한다고 오래전부터 알려져 왔다. 아기들은 태어난 지 여섯 시간이 채 지나지 않아 통증에 대해 다른 반응을 보이며, 쥐와 생쥐는 같은 자극에 대한 반응에 있어 분명한 성차를 보인다는 것 또한 알려져 왔다.
　가장 최근의 연구 결과는 편두통이 남성보다 여성에게 세 배나 더 빈번하다는 것뿐만 아니라, 이것은 여성에게만 보이는 낮아진 통증 역치와 연관될 수 있다는 것도 보여준다. 이 연구의 일부를 담당한 한 캐나다인 유전학자는 여성에게서 통증에 대한 민감도와 통증을 참는 능력에 영향을 미치는 유전자를 또한 분리했다. 그것은 남성에게 아무런 영향을 미치지 않았다. 현재 그는 남성과 여성의 뇌는 실제로 완전히 다른 종류의 신경 단위와 신경 전달 물질을 이용해 고통스러운 자극을 처리한다고 여기고 있다. 여성은 남성보다 더 많은 통증을, 더 많은 신체 부위에서 더 빈번하게, 그리고 더 오랜 시간 동안 느낀다는 것을 보여주는 다른 증거와 잘 알려진 연구들과 관련하여 보면, "남자는 울어선 안 된다."라고 지시하는 것은 단지 문화적인 편견에 불과한 것이 아니라 실제 유전적 특징인 듯하다.

02

Step 1	Survey
Key Words	cultural bias; gender roles; pain threshold
Signal Words	but instead; it has long been known; it has also been shown; the most recent research
Step 2	Reading
Purpose	to explain evidence that men and women process pain differently
Pattern of Organization	comparison&contrast; cause&effect
Tone	informative
Main Idea	There is evidence that men and women actually experience pain differently.
Step 3	Summary
지문 요약하기 (Paraphrasing)	For a long time, people assumed that men and women responded to pain differently because of culturally biased gender roles they have been taught. Boys are raised not to show pain, whereas girls are allowed to cry. However, recent research has uncovered evidence that the brains of men and women actually process pain differently, so genetics rather than culture may explain the difference.
Step 4	Recite
요약문 말로 설명하기	

모범답안 The meaning of the underlined selection is that it is ironic that Yunus did not get paid back fully, in opposition to his expectations. Second, Yunus incentivized paybacks by offering additional follow-up loans according to the completion of the previous loans.

채점기준

• 4점 : 모범답안과 같거나 유사하였다.
• 2점 : 둘 중 하나만 맞았다.
• 0점 : 모범답안과 다르다

어휘

advance ~을 ~에게 빌려주다, 융통해주다   allocation 할당, 배분

charge 청구하다, 매기다   credit 신용거래; 대출금

dissertation 박사학위논문   doctoral 박사(학위)의; 권위 있는

get access to ~을 접하다   imitator 모방자, 아류

interest rate 금리, 이율   irrigation 관개

loan 대출, 융자   make a (big) difference (큰) 변화를 가져오다, 차이가 생기다

microcredit 미소금융, 창업대출(개발도상국에서 창업을 위한 저리의 소액 자금 대출)

moneylender 대금업자, 전당포 업자   multi-purpose 다목적의, 다용도의

peddling 행상   persist 고집하다, 계속하다

pitiful 불쌍한, 비참한   reap a good harvest 많은 수확을 거두다

reservoir 저수지   scheme 계획, 제도

stool 걸상   tube well 관우물(작은 관을 땅 속에 박아 펌프로 물을 뽑아 올리는 우물)

한글 번역 그라민 은행을 설립하고 소액대출제도를 주도적으로 고안했던 모하마드 유누스는 가난한 사람들에게 대출해주려는 목적으로 시작했던 것은 아니다. 원래 그는 녹색혁명과 물을 대는 것이 방글라데시의 빈곤에 대한 해결책이라는 확신을 가지고 시작했었다. 그가 밴더빌트 대학교에서 쓴 박사학위 논문의 제목은 "다목적 저수지 물의 적정배분: 동적인 계획 모형"이었다. 가난한 사람들을 도우려는 그의 첫 번째 시도는 건기 동안에 물을 대기 위한 관 우물 설치를 후원하여 농민들이 이모작을 할 수 있게 하는 것이었다. 유누스는 이러한 계획에 드는 돈을 마련하도록 자신의 돈에서 농민들에게 융자해주었다. 융자를 받은 농민들은 수확량이 많았다. 가난한 사람들이 신용도가 높을 수 있다는 생각을 한 설립자에게는 아이러니하게도, 농민들은 융자금을 완전히 상환하지 않아 유누스는 돈을 잃었다.

(그래도) 유누스는 융자해주는 것을 계속하였고, 농민들을 도울 방법을 파악하려고 가능한 한 많은 시골 마을을 방문하였다. 그러다가 그는 대나무 걸상을 만드는 수피아 베굼이라는 한 여인을 만났다. 수피아 베굼은 걸상을 하나 만들 때마다 비참할 정도로 미미한 2센트를 벌었는데, 왜냐하면 대금업자가 그녀에게 대나무를 융통해주는 것에 대해 초고금리를 매겼기 때문이었다. 유누스는 매우 가난한 사람들에게 아주 소액을 대출해주는 것이 그들의 삶에 큰 변화를 가져올 수 있다는 것을 깨달았다. 그는 실험해보기로 했으며, (그 결과) 소액 대출을 받은 사람들은 미래에 대출을 받기 위해 융자금을 상환한다는 것을 발견하였다. 그라민 은행에서 그의 첫 번째 대출은 수피아 베굼에게 해준 대출이었는데, 그녀는 이 돈으로 성공적으로 행상업을 시작하였다. 이런 소액대출에 대한 수요는 엄청나서, 그라민 은행은 전설이 되어 오늘날에는 그라민 은행을 모방한 은행들이 전 세계에 생겨났다.

02

NOTE

Step 1	Survey
Key Words	Mohammad Yunus; microcredit; irrigation; interest rate
Signal Words	initially; his first attempt; ironically
Step 2	**Reading**
Purpose	to describe how Mohammad Yunus come to invent microcredit and how the concept has spread
Pattern of Organization	time order (narrative)
Tone	neutral
Main Idea	Mohammad Yunus is the main inventor of microfinance schemes, a way of helping the poor through small loans he perfected after some trials.
Step 3	**Summary**
지문 요약하기 (Paraphrasing)	Mohammad Yunus developed a microcredit borrowing method to safely support poor people with loans to better their lives, such as by sponsoring tube wells for suffering farmers, which lost him money. Later he improved his microfinance scheme after noticing a woman, Sufiya Begum, would pay back the loans benefitting her in order to get more. Now, his Grameen Bank has become very successful through microfinance.
Step 4	**Recite**
요약문 말로 설명하기	

모범답안 The word for the blank is "equivocation". Second, the writer argues that two roles do not always corroborate; an individual could be a great scholar but be a poor communicator and instructor and vice versa.

채점기준

• 4점: 모범답안과 같거나 유사하였다.
• 2점: 둘 중 하나만 맞았다.
• 0점: 모범답안과 다르다.

어휘

arise from ~에서 발생하다, ~이 원인이다   be substituted for ~으로 대체되다
break down 실패하다   equivocate 얼버무리다, 모호하게 말하다
equivocation 모호한 말, 얼버무림   misuse 오용, 남용

한글 번역 한 가지 종류의 모호한 말은 특별히 언급할 가치가 있다. 이것은 '상대적인' 용어의 잘못된 사용으로 일어나는 실수인데, 이런 용어는 문맥에 따라 서로 다른 의미를 지닌다. 예를 들면, 'tall'이란 단어는 상대적인 단어이다. 키가 큰 사람과 높은 빌딩은 상당히 다른 범주 안에 있다. 키가 큰 사람은 대부분의 사람보다 키가 큰 사람인 반면에 높은 빌딩은 대부분의 빌딩보다 높은 건물이다. 비상대적인 용어들에 타당한 특정한 유형의 주장은 비상대적인 용어들이 상대적인 용어들로 대체될 때 효력을 잃게 된다. "코끼리는 동물이다. 따라서 회색 코끼리는 회색 동물이다."라는 주장은 완전히 타당하다. 'gray'란 단어는 비상대적인 용어이다. 그러나 "코끼리는 동물이다. 따라서 작은 코끼리는 작은 동물이다."라는 주장은 터무니없다. 여기서 주목할 점은 'small'은 상대적인 용어라는 것, 즉 달리 말해, 작은 코끼리는 아주 큰 동물이라는 것이다. 이 오류는 상대적인 용어인 'small'과 관련한 모호한 말의 오류이다. 그러나 상대적인 용어들에 대한 모호한 말이 모두 그렇게 분명하게 드러나는 것은 아니다. 예를 들면, 아무개는 훌륭한 장군이며, 따라서 훌륭한 대통령이 될 것이라고 주장되거나, 누군가가 훌륭한 학자여서 좋은 교사가 될 것 같다고 주장될 때 'good'이란 단어는 상대적인 용어로 종종 모호하게 얼버무려진다.

02

NOTE ▶

Step 1	Survey
Key Words	equivocation; relative; categories; fallacy
Signal Words	for example; therefore; not all
Step 2	**Reading**
Purpose	to describe the fallacy of equivocation involving(about) relative terms
Pattern of Organization	not clear
Tone	neutral
Main Idea	There is a danger of committing the fallacy of equivocation when using relative terms.
Step 3	**Summary**
지문 요약하기 (Paraphrasing)	Forms of argument that are valid when nonrelative terms, such as color words, are used break down when relative terms, such as size words, are used. For example, it is correct to say that a gray elephant is a gray animal, but the statement that a small elephant is a small animal is a fallacy of equivocation.
Step 4	**Recite**
	요약문 말로 설명하기

12　하위내용영역 일반영어 A형 서술형　배점 4점　예상정답률 55%　　　　　본책 p.128

모범답안 It is that our lives are easier than those of earlier generations and we work less than medieval European peasants. Second, they ensure their satisfaction by limiting their material desires.

채점기준
- 4점: 모범답안과 같거나 유사하였다.
- 2점: 둘 중 하나만 맞았다.
- 0점: 모범답안과 다르다.

한글 번역　진보에 대한 우리 문화의 신뢰는 뿌리 깊다. 우리는 우리 이전 사람들의 삶보다 우리의 삶이 더 낫다고 믿도록 교육받아 왔다. 근대 경제학의 이데올로기는 물질적 진보가 만족과 행복을 낳는다고 말한다. 그러나 행복에 대한 우리의 확신의 큰 부분은 우리의 삶이 전 세대의 그것보다 낫다는 가정에서 온다. 나는 이미 우리가 중세 유럽의 농민들(그들이 더 가난했겠지만)보다 더 적게 일한다는 개념에 이의를 제기한 바 있다. 문화 인류학자들의 현장 연구는 이런 상식에 새로운 관점을 제시하고 있다. 소위 미개인이라고 불리는 이들의 삶은 흔히 아주 힘들 것으로 생각한다. '끊임없이 먹을 것을 찾는 여정'으로 좌우되는 존재라고 말이다. 하지만 미개인들은 별로 일을 하지 않는다. 현시대의 관점에서 우리는 그들이 아주 게으르다고 봐야 할 것이다. 파푸아의 카파우쿠 사람들은 하루 일을 하면 다음 날은 일하지 않는다. 쿵 부시맨들은 일주일에 고작 이틀 반을 하루 여섯 시간씩 일한다. 하와이의 샌드위치 섬사람들은 하루에 네 시간만 일한다. 호주의 원주민들도 비슷한 스케줄로 움직인다. 이들 '석기시대 사람들'이 우리가 더욱더 많은 것을 얻기 위해 더 많이 일하는 것과 다르게 움직이는 이유를 이해하는 열쇠는 그들은 욕망을 제한해 왔다는 점이다. 소유욕과 소유 사이의 경쟁에서 그들은 그들의 소유욕을 낮게 함으로써 그들 나름의 만족도를 지켜 왔다는 것이다. 현대의 관점에서 그들은 물질적으로 가난하지만 최소한 한 가지 차원, 즉 시간의 문제에서 그들은 우리보다 부자라고 할 수 있다.

02

Step 1	Survey
Key Words	Progress; work; primitives
Signal Words	in fact; the key... is
Step 2	**Reading**
Purpose	to show the flaws in the popular notion that contemporary people are happier than aboriginal people
Pattern of Organization	series; comparison&contrast
Tone	critical
Main Idea	The common notion that modern living is better than that of earlier generations is inherently flawed in that both earlier generations and primitive people in fact work less and are more easily satisfied.
Step 3	**Summary**
지문 요약하기 (Paraphrasing)	The common notion that modern living is better than that of earlier generations is inherently flawed in that like those earlier generations, primitive people work less and are more easily satisfied, unlike modern people who work every day and want for much.
Step 4	**Recite**

요약문 말로 설명하기

모범답안 The word for the blank is "perfect". What contributes to the misunderstanding of the underlined is that it is unclear to whom the word "his" refers the first time it is used. 또는 What contributes to the misunderstanding of the underlined is that it is unclear to whom the first usage of "his" applies (as the possessive pronoun's referent needs to be distinguished).

채점기준

• 4점 : 모범답안과 같거나 유사하였다.
• 2점 : 둘 중 하나만 맞았다.
• 0점 : 모범답안과 다르다.

한글번역　각 언어는 그 나라가 말하려는 생각을 전달해주는 완벽한 수단이라는 일부 언어학자의 일반적인 신념은 최선을 위해 수요와 공급이 모든 것을 규제한다는 맨체스터의 경제학 이론과 똑 닮았다. 수요와 공급 법칙이 실제 필요를 충족시키지 못하는 수많은 사례에 대해 경제학자들이 무시하듯이, 많은 언어학자도 언어의 속성이 일상 속의 대화에서 오해를 유발하는 예들이나, 결과적으로 화자에 의해 의도된 생각을 표현하기 위해서 단어가 수정되거나 새로이 정의되어야 하는 경우들에 귀를 닫고 있다. "그는 막대기를 가졌다. 아니 존의 것이 아니라 그의 것이었다." 어떤 언어도 완벽하지 않다. 그리고 우리가 이 사실을 인정한다면, 우리는 서로 다른 언어나 언어들의 서로 다른 구체성 속에서 상대적인 장점들을 조사하는 것이 불합리한 일이 아님을 또한 인정해야 한다.

NOTE

02

Step 1	Survey
Key Words	language; misunderstanding
Signal Words	in some ways; just as
Step 2	Reading
Purpose	to criticize the notion that languages are perfect containers for their corresponding culture's thoughts
Pattern of Organization	series
Tone	critical
Main Idea	Languages are not perfect, and each should be gauged by its strengths and weaknesses.
Step 3	Summary
지문 요약하기 (Paraphrasing)	Languages are not perfect, like in moments when there are uncertainties and misunderstandings, so given this, it should be possible to gaugeeach language's strengths and weaknesses.
Step 4	Recite

요약문 말로 설명하기

14 하위내용영역 일반영어 A형 서술형   배점 4점   예상정답률 45%   본책 p.132

모범답안 The phrase means that stressing details can destroy the passion for reading. Second, the word for the blank is "conventional".

채점기준
- 4점 : 모범답안과 같거나 유사하였다.
- 2점 : 둘 중 하나만 맞았다.
- 0점 : 모범답안과 다르다.

한글 번역 콜로라도 로키 마운틴 학교에서 영어를 가르치고 있었을 때, 나는 나의 학생들에게 영어 선생님들이 종종 읽기 숙제에 관하여 묻는 그런 종류의 질문들을 물어보곤 했었다. 그 질문들은 학생들이 꼭 알아야만 한다고 결정한 포인트들을 끌어내도록 계획한 질문들이다. 학생들 입장에서는 그들은 내가 원하는 것에 대한 힌트와 실마리를 그들에게 주도록 만들려 할 것이다. 그것은 재치 게임이었다. 나는 절대로 내 학생들에게 어떤 책에 관하여 그들이 정말로 생각하는 것을 말하는 기회를 주지 않았다. 나는 또한 어휘 훈련과 퀴즈를 주었다. 나는 나의 학생들에게 책에서 그들이 이해하지 못한 단어와 마주칠 때마다 사전을 찾으라고 말했다. 나는 특별한 종류의 어휘 시험을 고안해냈다. 그리고 단어들이 어떻게 쓰였는지 알기 위하여 그들의 책을 사용하는 것을 허락하였다. 그러나 뒤돌아보면, 많은 내 교수법들과 함께 이러한 시험들이 어리석었다는 것을 깨달았다. 나의 여동생이 내가 영어를 가르치는 것에 관한 나의 판에 박힌 아이디어들에 대해 의문을 가지게 한 첫 번째 사람이었다. 그녀는 상당히 좋은 공립학교 7학년에 재학 중인 아들이 하나 있었다. 그의 선생님은 학급 학생들에게 쿠퍼의 *The Deerslayer*를 읽으라고 하였다. 선택 그 자체로는 나쁘기에 충분했다. 자연이든 또는 사람을 보는 것이든 간에, 쿠퍼는 인공적이고, 부정확하고 감상적이고, 그의 글은 지루하고 화려하다. 그러나 설상가상으로, 이 선생님은 그 책을 현미경과 엑스레이 치료를 하기로 했다. 그는 학생들에게 단어의 정의뿐만 아니라 자주 등장하고 함께 따라오는 모든 중요한 단어들의 파생어들을 찾고 암기하게 하였고 그것들은 아주 많았다. 모든 챕터에 학생들이 모든 것을 이해했다는 것을 확신하기 위하여 아주 세부적인 문제를 수록했다. 내가 말한 것처럼 나는 전통적인 관점에서 내 여동생의 비판에 맞서서 내 좋은 친구인 그 선생님을 옹호하기 시작했다. 그 논쟁은 곧 맹렬해졌다. 아이들이 읽은 모든 것을 이해한 것을 확실히 하는 것이 뭐가 잘못된 것이니? 라고 물었다. 나의 여동생은 올해까지 아들이 항상 읽기를 좋아했고, 그 스스로 많이 읽었는데 지금은 그만두었다고 대답했다. 그는 수년 동안 정말로 다시 시작하지 않았다.

NOTE ▶

Step 1	Survey
Key Words	conventional ideas; teaching
Signal Words	not clear
Step 2	**Reading**
Purpose	to describe the problems of conventional English teaching
Pattern of Organization	narrative; cause&effect
Tone	subjective
Main Idea	The conventional methods of teaching English are foolish and can have detrimental effects on students.
Step 3	**Summary**
지문 요약하기 (Paraphrasing)	The conventional methods of teaching English are ineffective and can be counter effective. Through rigorous elicitation and vocabulary instruction using texts, the students were challenged to understand everything they read. In one case this lead to a student losing his passion for reading for many years.
Step 4	**Recite**

요약문 말로 설명하기

15　하위내용영역 일반영어 A형 서술형　　배점 4점　　예상정답률 40%　　　　　　　　　본책 p.134

[모범답안] The author does not agree with the argument because, according to her, all humanists as well as all social scientists cannot help being related to (cannot escape from or cannot detach from) their real life conditions such as class structure, social status, and various belief systems, etc. Second, the word for the blank is "nonpolitical".

[채점기준]

• 4점 : 모범답안과 같거나 유사하였다.
• 2점 : 둘 중 하나만 맞았다.
　》 첫번째 문제에서, 자신들을 둘러싼 삶의 조건으로부터 detachment(또는 관련이 없다)의 개념이 들어가 있지 않지만 전체적인 내용이 유사했다면 1점만 준다.
• 0점 : 모범답안과 다르거나 서술하지 못하였다.

[한글 번역]　셰익스피어나 워즈워스에 관한 지식은 정치적인 것이 아니며, 현대의 중국이나 북한에 관한 지식은 정치적인 것이라고 주장하기는 참으로 쉬운 일이다. 나의 공식적인 직업적 호칭은 '인문과학자'나, 그 호칭은 나의 전문분야가 인문과학이라고 하는 점, 따라서 이 분야에서 내가 행하는 연구가 정치적일 수 있는 가능성은 전혀 있을 수 없다는 점을 나타내고 있다. 물론 이러한 꼬리표나 용어는 그 어느 것도 여기서 사용되는 경우에는 그 세세한 뉘앙스를 완전히 박탈당하게 된다. 그러나 내가 지적하는 것이 일반적으로 말하여 진실이라는 점은 널리 인정되고 있다고 생각한다. 워즈워스에 관한 책을 쓰는 인문과학자 또는 키츠를 전문으로 하는 편집인은 어떠한 의미에서도 정치에 휘말릴 가능성이 없다고 말할 수 있는 이유의 하나는, 그들의 연구가 일상적인 의미의 현실에 대하여 직접 정치적인 영향을 주지 않는 것으로 보인다는 점이다. 중국경제를 전공하는 학자의 연구는 정부의 이해관계에 중대한 관련성이 있는 고도로 책임이 중대한 영역에서 행해지고 있으므로 그가 연구 또는 제안이라고 하는 형태로 만들어내는 것은 정책입안자, 관료, 체제 옹호적인 경제학자, 정보기관원 등에 의해 채택될 가능성이 크다. '인문과학자'와 정책에 관여하는 학자 사이의 차이는 다음과 같이 말하는 경우 더욱 명확하게 될 것이다. 곧 전자의 이데올로기적 색깔은 정치에서 중요성을 갖지 못함에 비하여, 후자의 이데올로기는 그것이 그의 연구 소재 중에 직접 포함되기 때문에—참으로 현대의 경제학, 정치학, 사회학은 얼마나 이데올로기적인 학문인가!—당연히 '정치적인'것으로 보이게 된다.

그럼에도 불구하고 현대의 서양에서 만들어지는 지식의 대부분을 결정적으로 침식하고 있는 것은, 지식이란 비정치적이어야 한다는 희망, 곧 지식은 학문적, 순이론적, 중립적인 것으로서 당파적이거나 속이 좁은 교조주의적 신념을 초월한 것이기를 요구하는 희망이다. 이론상의 이러한 지향이나 희망에 이의를 제기할 수는 없으나, 실제의 현실은 훨씬 더 많은 문제를 포함하고 있다. 아직 학자라고 하는 존재에 대하여 그 생활 조건으로부터, 계급이나 신념체계 또는 사회적 지위와(의식적 또는 무의식적으로) 관련되는 사실로부터 또는 단순히 사회의 일원으로서 하는 활동으로부터 학자를 분리하는 방법을 생각한 사람은 없다. 그것들은 학자의 직업적 활동에 계속하여 영향을 미치고 있다. 두말할 필요도 없이 설령 그의 연구 활동과 그 성과가 삶의 일상적 현실에서 나오는 억제나 구속으로부터 상대적으로 자유로운 단계에 도달하는 것을 목표로 삼고 있어도 그러하다. 실제로 지식 그 자체는 (얽히고설켜 마음을 산란케 하는 삶의 조건들에 매여 있는 채 지식을 생산하는) 개인보다는 (더 당파적이기보다는) 덜 당파적이다. 그러나 그렇다고 하여 이 지식이 자동으로 비정치적이라고 말할 수는 없다.

NOTE ▶

Step 1	Survey
Key Words	humanities; political; impartial; knowledge
Signal Words	one reason; distinction between A and B; Whereas; therefore
Step 2	Reading
Purpose	to show how unnatural it is to separate humanists from politics as is preferred in the contemporary West
Pattern of Organization	not clear
Tone	critical
Main Idea	While the ideal for scholars such as humanists is to be impartial and non-partisan, in reality the personal experience of humanists makes a bias that is hard to remove.
Step 3	Summary
지문 요약하기 (Paraphrasing)	While the ideal for scholars such as humanists is to be impartial and non-partisan, in reality the personal experience of humanists makes a bias that is hard to remove. Thus, in the humanities the contemporary West seeks to avoid politicization of knowledge, which very difficult as even noneconomic or nonpersonal knowledge is not necessarily nonpolitical.
Step 4	Recite
요약문 말로 설명하기	

모범답안 First, the writer thinks that the moralists' denunciations are ineffective in dealing with the problem. Second, it neglects human essential needs and the instinctive tendency towards some concrete sort of development.

채점기준

• 4점: 모범답안과 같거나 유사하였다.
• 2점: 둘 중 하나만 맞았다.
• 0점: 모범답안과 다르거나 서술하지 못하였다.

한글 번역   세계가 시작되었을 때부터 도덕론자들은 돈을 좋아하는 것을 비난했다. 나는 도덕적 비난을 굳이 할 생각은 없다. 지금까지 그런 비난은 아무런 효험도 없었다. 나는 돈의 숭배가 어떻게 해서 생명력 감소의 결과인 동시에 원인이 되는지, 돈의 숭배가 줄어들고 전체적인 활력이 늘어나게 하려면 우리의 제도들이 어떻게 변해야 하는지 살펴보고자 한다. 여기서 나는 돈을 특정한 목적을 이루기 위한 수단으로 여기고 가지고 싶어 하는 욕구는 문제 삼지 않을 것이다. 생활이 어려운 예술가가 예술 활동에 필요한 여가를 확보하기 위해서 돈을 원할 수 있다. 하지만 이런 욕구는 제한적인 것으로 그다지 많지 않은 돈으로도 충족시킬 수 있다. 여기서 나는 배금주의에 대해서 고찰하고자 한다. 배금주의는 모든 가치는 돈으로 측정될 수 있으며, 돈이 인생의 성공 여부를 가르는 궁극적인 시금석이라고 믿는 사고방식이다. 사실 이는 비록 입 밖에 내지는 않아도 수많은 사람이 품고 있는 생각이다. 그러나 배금주의는 인간의 본성과 어울리는 것이 아니다. 배금주의는 특정한 종류의 성장을 지향하는 본능적인 성향과 핵심적인 요구를 무시한다. 배금주의는 사람들이 돈을 손에 넣는 데 방해가 되는 자신의 욕구를 하찮은 것으로 여기게 한다. 그러나 대개 이런 욕구는 소득의 증가보다 행복이 더 중요하다. 배금주의는 사람들이 성공이란 무엇인가에 대한 잘못된 이론에 근거해서 자신의 본성을 훼손하고 인간의 행복에 전혀 보탬이 되지 않는 일들을 극찬하게 만든다. 그것은 아무런 활력이 없는 획일적인 인격과 의도를 조장하고, 삶의 기쁨을 축소하고, 공동체 전체를 피로감, 좌절감, 환멸감으로 몰아넣는 스트레스와 긴장감을 조성한다.

NOTE

Step 1	Survey
Key Words	worship of money; value; belief
Signal Words	I wish to show; and yet
Step 2	Reading
Purpose	to show the problems caused by the worship of money and how they might be solved
Pattern of Organization	cause&effect
Tone	cautioning
Main Idea	The worship of money and its use as a measure of merit create an improper understanding of reality.
Step 3	Summary
지문 요약하기 (Paraphrasing)	The worship of money as a central value or standard of measure of merit can cause an unhealthy value system. This can also lead people away from actual well-being.
Step 4	Recite
요약문 말로 설명하기	

모범답안 So-called new ideas are generally broken fragments of old ideas. We can find all the new ideas in old great writers such as Shakespeare, and only there can we find them balanced, kept in their place.

채점기준
- 3점 : 모범답안과 같거나 유사하였다.
- 1점 : 다음과 같은 취지로만 서술하였다. "What we call new ideas is generally broken fragments of the old ideas."
- 0.5점 : 다음과 같은 취지로만 서술하였다. "We can find all the new ideas in old great writers such as Shakespeare, and only there can we find them balanced, kept in their place."
- 0점 : 모범답안과 다르거나 서술하지 않았다.

한글 번역 때론 이런 혁신가들은 톨스토이처럼 수수하고 진지한 사람일 수 있고, 니체처럼 예민하고 여성적인 달변가일 수 있다. 그 어느 경우든지 그들은 파문을 일으키고, 어떤 학파를 창설할지도 모른다. 언제나 문제의 그 인간이 새로운 사상을 발견한 것으로 알려진다. 하지만 사실 새로운 것은 그 사상이 아니라 사상의 소외이다.

이 점이 분명치 않다면 한 가지 예를 들어서 좀 지나치게 환상적이고 나이도 젊은 이론가들 사이에서 유행해 온 사상과의 관계를 설명해 보겠다. 모두가 알듯이, 니체는 그 자신과 그의 추종자들이 가히 혁명적이라고 생각한 것 같이 보이는 교리를 설파했다. 니체가 말하길, 보통 이타적 도덕이라는 것은 노예계급이 만들어 낸 것이라고 했다. 자기네보다 더 우월한 족속이 나타나서 자기들과 싸워서 지배하는 것을 막기 위한 것이라는 설이다. 이런 이론에 찬성하든 안 하든, 현대인들은 이것이 전에 들어보지 못한 새로운 사상이라 떠들어 댄다. 과거의 위대한 작가, 가령 셰익스피어도, 이런 생각을 품지 않았는데, 그것은 그가 그런 것을 상상조차 하지 못했기 때문이라고 맑은 정신으로 집요하게 엮어 댄다. 그런 기발한 생각이 머리에 떠오르지 않았다는 것이다. 셰익스피어의 "리차드 3세" 마지막을 펴보라. 그러면 니체가 한 이야기가 몽땅 두 줄 속에 들어 있을 뿐 아니라, 바로 니체가 한 말이 그대로 나와 있다는 것을 알게 될 것이다. 리차드 크룩백은 그의 귀족들에게 이렇게 말했다. "양심이란 단지 겁쟁이들이 쓰는 상투어/ 강자에게 겁주기 위해서 꾸며낸 말"이라고.

내가 말했듯, 사실은 명백하다. 셰익스피어는 니체의 사상과 지배자 도덕을 생각했었다. 하지만 셰익스피어는 그 가치를 제대로 판단했고, 그것을 분수에 맞는 제자리에 갖다 놓았다. 분수에 맞는 제자리란 패배의 전야에 반쯤 미쳐버린 꼽추이다. 약자에 대한 이 같은 분노는 병적으로 용감하나 근본적으로 병든 자에게만 가능하다. 리차드와 같은 인간, 니체와 같은 인간 말이다. 이 경우 하나만 보아도 저들 현대 철학가들이 과거의 위인들이 미처 생각해내지 못했던 것을 생각해냈기 때문에 현대적이라는 생각이 얼마나 어리석은 망상인가를 알 수 있을 것이다. 옛 위인들도 다 그런 생각을 했다. 다만 그런 생각을 대수롭지 않게 생각했을 뿐이다. 셰익스피어가 니체의 사상을 못 본 것이 아니었다. 보고 그 허점을 간파했다.

NOTE

Step 1	Survey
Key Words	innovators; Nietzsche; Shakespeare
Signal Words	in those cases; in case; now
Step 2	Reading
Purpose	to challenge that Nietzsche was neither original nor noble in his thoughts
Pattern of Organization	comparison&contrast
Tone	critical
Main Idea	Modern philosophies like Nietzsche's doctrine that criticized altruistic morality are not necessarily new and have been thought of, and denigrated, by earlier minds such as Shakespeare.
Step 3	Summary
지문 요약하기 (Paraphrasing)	Modern philosophies like Nietzsche's doctrine that criticized altruistic morality are not necessarily new and have been thought of, and denigrated, by earlier minds such as Shakespeare. In Shakespeare's play, this idea is set forth by a hideous and devious character, which proves that Shakespeare both had the idea first and also thought it was terrible.
Step 4	Recite
	요약문 말로 설명하기

02

18 하위내용영역 일반영어 B형 서술형　　배점 4점　　예상정답률 50%　　　　　　　　본책 p.142

모범답안 First, the effects of diminution are fiscal, as public institutions deteriorate from lack of tax support, and civic as this causes rich and poor people to live separate lives, which brings about a distorted budgetary policy and a corrosion of civic virtue. Second, the solution is to engage in a politics of the common good whose primary goal is the reconstruction of infrastructure for civil renewal.

채점기준

+2점 : 공공시설의 감소가 "부자와 빈자가 서로 다른 삶을 살도록 했고(1점), 이것이 예산상의 왜곡과 시민정신의 약화에 영향을 미친다."(1점)라 서술하였다.

+2점 : 해결책이 "공공기반시설(infrastructure)의 확충에 있는 것"이라 서술하였다.

한글 번역　　미국인의 삶에서 불평등 심화를 걱정하는 가장 중요한 이유는 빈부격차가 지나치면 민주 시민에게 요구되는 연대 의식이 약화한다는 사실 때문이다. 왜 그럴까? 불평등이 깊어질수록 부자와 빈자의 삶은 점점 더 괴리된다. 풍족한 사람들은 아이들을 사립학교에(또는 부유한 교외 지역의 공립학교에) 보내고, 그 결과 도심 공립학교에는 대안이 없는 가정의 아이들만 남는다. 학교뿐 아니라 다른 공공제도나 시설에서도 비슷한 현상이 일어난다. 사설 헬스클럽이 시에서 운영하는 체력단련장과 수영장을 대체한다. 상류층 지역에서는 경찰에 의존하기보다는 사설 경비업체와 계약한다. 자동차도 한 집에 두 세대가 되다 보니 대중교통을 이용할 필요가 없어진다. 이처럼 부유층이 공공장소나 공공서비스를 이용하지 않게 되면서, 그것들은 달리 대신할 수단이 없는 서민들만의 몫이 되어버린다.

이때 두 가지 악영향이 나타나는데, 하나는 재정의 문제이고, 또 하나는 시민의식 문제이다. 우선, 공공서비스를 더 이용하지 않는 사람들이 납세를 꺼리게 되면서 서비스의 질이 떨어진다. 둘째, 다양한 계층의 시민들이 서로 만날 수 있는 곳에 학교, 공원, 운동장, 시민회관 같은 공공시설이 들어서지 않는다. 한때 사람들이 모이고 시민의 미덕을 가르치는 비공식 학교 구실을 했던 공공시설이 눈에 띄게 줄어든다. 공적 영역이 비어버리면 민주시민 의식의 토대가 되는 연대와 공동체 의식을 키우기가 어려워진다.

공공영역의 잠식이 문제라면 해결책은 무엇일까? 공동선을 추구하는 정치는 시민의 삶에 기반이 되는 시설들을 재건하는 것을 일차 목표로 삼을 수 있을 것이다. 민간 시설의 소비를 늘리기 위한 재분배에 초점을 맞추기보다는 부유한 사람들에게서 세금을 걷어 공공기관과 공공서비스를 다시 일으킴으로써 부자와 빈자가 모두 똑같이 그것을 이용할 마음이 생기게 할 수 있다.

앞선 세대는 연방정부의 고속도로 정책에 막대한 자금을 투자했고, 그 덕에 미국인들은 전에 없던 개인적 기동성과 자유를 누리게 되었다. 하지만 동시에 자가용, 도시팽창, 환경문제, 공동체를 좀먹는 생활방식에 의존하게 되었다. 우리 세대도 시민의 삶을 개선하는 중요한 기반시설에 투자할 수 있을 것이다. 부자와 빈자가 모두 아이를 보내고 싶어지는 공립학교, 상류층 통근자를 끌어들일 대중교통 체계, 그리고 보건소, 운동장, 공원, 체력단련장, 도서관, 박물관처럼 사람들을 닫힌 공동체에서 끌어내 민주 시민이 공유하는 장소로 모이게 하는 시설 등이 그것이다.

NOTE ▶

Step 1	Survey
Key Words	inequality; private; public
Signal Words	first; if; rather than
Step 2	Reading
Purpose	to highlight the problems caused by the gap in wealth between the rich and the poor
Pattern of Organization	cause&effect
Tone	critical
Main Idea	The wealth gap causes a decline in shared public society, which undermines progress and equality which should be remedied by a commitment to civic renewal.
Step 3	Summary
지문 요약하기 (Paraphrasing)	The economic gap between rich and poor is causing a decline in shared public society, which undermines progress and equality. Rich people rely on and use fewer public services, such as schools and transportation, as they have means to avoid them. This results in those public services retaining less support and creates less interaction among all classes. One solution could be taxation of the wealthy in order to revitalize such waning facilities. A large project of this ilk could draw together people of all classes.
Step 4	Recite
	요약문 말로 설명하기

02

모범답안 The short-term need is to stick close to his sons at a time when a father's influence seemed very crucial, and the long-terms need is to equip himself with an education that will make him a better provider in the coming years (when he would presumably need to pay college tuitions). Second, the words are "managerial ranks".

채점기준

+2점 : 단기적 요구사항이 "아버지의 영향이 필요한 시기에 아들을 돌봐주는 것"이라 서술하였다.

+2점 : 장기적 요구사항이 "훗날 더 나은 생활을 위해 공부를 하는 것"이라 서술하였다.

한글 번역 앤서니가 소수민족학 학위를 가지고 대학을 졸업했을 때, 그는 안정되고 좋은 직업을 갖게 되었고, 결혼했고, 그리고 두 아들, 새미와 토니를 가졌다. 12년 후에, 그는 앞으로 관리자로의 승급을 약속했던 또 다른 회사로 이직했다. 헌신적으로 가정적인 남자였던 그는 아내 로렌이 두 아들을 키우는 헌신에 대해 존중했다. 하지만 십 대로 들어서는 그의 아들들이 자신과의 우애와 조언으로부터 크게 도움을 받는다는 것을 또한 알게 되었는데, 이런 것들은 두 아들이 성장 과정에서 쉽지 않은 과도기로 진입했다는 것을 그와 그의 아내가 깨달았기 때문이었다. 그래서 그는 두 아들과 많은 시간을 보내고 야구를 하고 그들의 학교 숙제를 도와주려고 노력했다.

그러나 그는 자기 직업 또한 사랑했고, 그것을 잘 해냈다. 관리직으로 곧장 승진하기 위해서는 석사 학위가 필요하다는 것이 곧 분명해졌다. 근처에 있는 한 대학에서 그에게 정규직으로 계속 일하면서도 저녁과 주말을 이용하여 학위를 딸 수 있는 프로그램을 허용하였다. 하지만 그것은 그의 삶에서 몇 년이 걸리고, 그의 가족 활동을 모두 아내의 손에 맡기게 만들어 버리는 그런 것일 수 있었다. 앤서니의 딜레마는 장기적인 관점 대 단기적인 관점의 충돌이었다. 그가 느끼기에 그의 가족들의 단기적인 필요로는 그의 아들들과 시간을 많이 보내는 것이 올바른 것이었다. 하지만 그의 가족들을 위한 장기적인 관점에서는 훗날 더 나은 생활을 위해 공부를 하는 것이 옳은 것이었다.

NOTE

Step 1	Survey
Key Words	Anthony; master's degree; long-term
Signal Words	but also
Step 2	**Reading**
Purpose	to point out a family man's dilemma regarding family obligations and employment
Pattern of Organization	not clear
Tone	neutral
Main Idea	While Anthony enjoys spending time with his family, the long-term benefit of putting time into a master's degree is also importan in the long run.
Step 3	**Summary**
지문 요약하기 (Paraphrasing)	After college, Anthony started a family and a new job in which he flourished, and he later decided to pursue a master's degree for the sake of his long-term goals. This might be an inconvenience in the short term, but the additional pay benefits will make it worthwhile.
Step 4	**Recite**
요약문 말로 설명하기	

모범답안 The document's objective is to identify zoos appropriate(suitable) for conservation practice. It has two defects : its critical underestimation of the total number of zoos and its overestimation of the quality of 1,000 core zoos. The writer refers to the (Robin Hill Adventure) Park to demonstrate(or illustrate) a weakness in the WZCS document.

채점기준

⁺1점 : The WZCS document의 목적이 "(동물)보존을 하는 데 적합한 동물원이 무엇인지 알려주는 것" 이라 서술하였다.

⁺2점 : The WZCS document이 두 가지의 오류가 있음을 올바르게 서술하였다.

》 다음과 같이 서술하여도 맞는 것으로 한다.

첫째, "동물원 전체 숫자를 과소하게 측정한 것"(1점); 둘째, "1000개의 핵심 동물원을 포함시키는 데 있어서 그것들의 역량과 질에 대한 잘못된 판단을 한 것(역량과 질을 과대평가함)"(1점).

⁺1점 : The Robin Hill Adventure Park을 언급한 이유가 "The WZCS document의 단점(자격미달인 동 물원도 핵심 동물원으로 포함되어있는 것)을 구체적으로 보여주기 위한 것"이었다고 서술하였다.

한글 번역   동물원은 애초에 오락을 위한 장소로 만들어졌고, 40여 년 전 런던동물학협회에서 동물보호란 주제로 첫 번째 정기 국제회의를 가지기 전까지는 동물원의 동물 보호 참여가 그리 심각하게 여겨지지 않았다. 8년 뒤에 "멸종 위기 생물의 번식"이란 제목으로 여러 세계 회의가 열렸고, 이 시점으로부터 보존은 동물원 단체에서 유명한 단어가 되었다. 현재 이러한 노력은 '세계 동물 보존 전략(이하 WZCS)'에 명확하게 정의되어 있다. 그러나 중요하고 환영받을 만한 이 문서는 동물원 산업의 본질에 대한 비현실적인 낙관주의에 기초하고 있다.

WZCS는 전 세계에 1만여 개의 동물원이 있다고 추정하고, 이들 중 천여 개는 협업적 보존 프로그램에 참여할 만한 질 높은 수집을 보여준다고 한다. 이것이 바로 그 문서의 첫 문제점인데, 필자는 동물원 1만여 개가 동물원 으로 가장한 전체 수를 심각하게 과소평가한 것으로 생각한다. 물론 정확한 수치를 얻는 것이 어렵지만, 그래 도 좀 더 정확한 시선으로 보자면, 동유럽에서 일 년간 일하면서 필자는 거의 매주 새로 개장되는 동물원을 발견할 수 있었다.

WZCS 문서의 논리에서 보이는 두 번째 문제점은 1천여 개의 핵심 동물원에 부여한 너무나 순진한 믿음이 다. 이 기관들의 자질이 충분히 신중하게 검증되었다고 사람들은 생각하겠지만 사실 이 목록 리스트에 포함되 는 기준은 동물협회나 동물단체의 멤버들이란 점밖에 없는 것 같다. 멤버가 되기 위해서는 반드시 어느 정도의 기준에는 도달해야 한다는 전제가 작동된다면 이는 좋은 시작이 될 수 있으나, 이 또한 사실들은 이론을 뒷받 침해주지 않는다. 매우 권위를 인정받는 미국 동물원과 수족관협회는 지극히 의심스러운 동물원들이 회원으로 되어있고, 영국과 아일랜드의 연방 동물원 연합은 국내언론으로부터 심하게 비난받는 동물원 들이 회원으로 종종 가입되어 있다. 와이트섬의 로빈 힐 어드벤처 파크가 이런 예에 해당하는데, 이곳은 많은 이들이 그 나라에 서 가장 악명 높은 동물 수집을 하는 곳으로 간주하고 있다.

NOTE

Step 1	Survey
Key Words	zoos; conservation; flaws; standards
Signal Words	however; of course
Step 2	**Reading**
Purpose	to examine the cataloging and standards of zoos
Pattern of Organization	series
Tone	critical
Main Idea	The WZCS is flawed in its estimates of the number of active zoos and in its selection of core zoos.
Step 3	**Summary**
지문 요약하기 (Paraphrasing)	The WZCS makes mistakes in its work in its estiimates of total zoos in the world and in categorizing of core zoos. It first came into being only recently, after zoos already existed for a long time as sources of entertainment, in an attempt to attach conversation values to zoos. Their count of 10,000 zoos in the world is likely to be a vast underestimate. A second problem is that the some zoos chosen to be exemplary are notoriously bad.
Step 4	**Recite**
요약문 말로 설명하기	

모범답안 Though it is possible that the government(state) interrupts those who may have serious effects on other people, the state should accept an individual's freedom to the fullest unless her/his behavior harms others. Second, the writer argues that Mill's theory on liberty has some defect in that it leaves scarcely any range for individual freedom.

채점기준

+2점 : 밀의 자유론이 무엇인지 올바르게 서술하였다.
+2점 : 밀의 자유론이 지니고 있는 한계에 대해 올바르게 서술하였다.
» 본문에 있는 연속적인 7단어 이상을 그대로 옮겨 적었으면 0.25점 감점한다.

한글 번역 | 19세기는 정치적 이상과 경제적 실행 간의 기이한 분열 때문에 고통받은 시기였다. 정치적으로는 로크와 루소의 자유주의 이념들이 실행되었으며, 그것은 당시의 소농 사회에 적합한 것이었다. 당시의 표어는 자유와 평등이었다. 그러나 다른 한편으로, 그 시대는 다가올 20세기를 자유를 파괴하고 평등을 새로운 형태의 독재주의로 대체하게 될 시대로 이끌어 갈 기술을 고안하고 있었다. 자유주의적인 사유의 보급은 어떤 측면에서는 불행한 일이었다. 왜냐하면, 그로 인해 뛰어난 통찰력을 가진 사람들이 산업주의가 야기한 문제들을 냉철하게 고찰할 수 없었기 때문이다. 사회주의와 공산주의는 본질적으로 산업 시대의 강령들이지만, 그들의 시각은 계급투쟁에 너무나 몰입되어 있기 때문에 오로지 정치적인 승리를 쟁취하는 수단 말고는 다른 측면을 돌아볼 여유가 거의 없는 것이 사실이다. 전통적인 도덕은 현대 세계에서는 거의 도움이 되지 않는다. 어떤 부자는 어떤 행위를 저질러서 수백만 명을 곤경에 처하게 만들 수 있지만, 세상에서 가장 독실한 가톨릭 참회자조차도 그런 행위를 죄악시하지 않을 것이다. 반면에 그런 사람이 최악의 결과라 해봤자 좀 더 유용하게 쓸 수도 있었던 한 시간을 써버린 정도밖에 되지 않는 사소한 변태 성행위에 대해서는 면죄부가 필요하다고 할 것이다. 지금은 내 이웃에 대한 나의 의무라는 주제에 관해 새로운 신조가 필요한 때이다. 전통 종교의 가르침만이 그 문제에 관해 적절한 지침을 주는 데 실패한 것은 아니다. 19세기 자유주의의 가르침 또한 그 일에 실패했다. 예를 들어, 밀의 "자유론"같은 책을 생각해 보자. 밀은 나의 행위가 타인에게 심각한 결과를 불러올 때는 국가가 개입할 권리가 있지만, 내 행위의 파급 효과가 주로 나 자신에게만 한정되는 경우에는 아무리 국가라도 나를 자유롭게 내버려 두어야 한다고 주장한다. 그렇지만 그런 원리는 현대 세계에서 개인의 자유를 옹호할 수 있는 영역을 거의 남겨 놓지 않는 결과를 낳는다. 사회가 점점 더 조직화되어 감에 따라 사람들이 상호 간 에 영향을 주고받는 경우들은 점점 더 많아지고 중요해지기 때문에 자유를 옹호하는 밀의 입장을 적용할 만한 영역이 실제로는 거의 남아 있지 않다.

02

Step 1	Survey
Key Words	liberalism; industrialism; Stuard Mill on liberty
Signal Words	but; for example
Step 2	**Reading**
Purpose	to explain the need for a new moral creed(new doctrine on morality) fit to the modern and organic society
Pattern of Organization	not clear
Tone	cynical
Main Idea	There should be a new moral creed fit to the modern and organic society that can solve problems caused by industrialism of the nineteenth-century.
Step 3	**Summary**
지문 요약하기 (Paraphrasing)	In the nineteenth-century, developments in economic systems based on industrialism presented problems which not only contemporary thoughts such as liberalism and socialism and communism but also traditional religious morality has not yet solved. There should be a new moral creed fit to the modern and organic society that can solve problems caused by industrialism of the nineteenth-century.
Step 4	**Recite**
요약문 말로 설명하기	

22 하위내용영역 일반영어 B형 서술형　배점 4점　예상정답률 45%　　　　　本책 p.152

[모범답안] First, Abe Rosenthal contends that people's apathy and unfeeling, which are caused by the anonymity and isolation of big-city life, makes people indifferent to the incident of Kitty Genovese. Second, Latane and Darley find that the most crucial factor is how many witnesses there are to an incident. (*The lesson is not that no one called* <u>*despite*</u> *the fact that thirty-eight people heard her scream; it's that no one called* <u>*because*</u> *thirty-eight people heard her scream.*)

[채점기준]

+ 2점 : Abe Rosenthal의 설명이 "대도시 생활의 익명성과 소외에 의한 도시민들의 비정함과 무감각함"이 그 사건에 방관하도록 만들었다고 서술하였다.

» 전체적인 내용이 유사하더라도 "비정함이나 무감각함" 등의 표현이 없으면 0.5점 감점한다.

» 전체적인 내용이 유사하더라도 "대도시생활의 익명성"이란 표현이 없으면 0.5점 감점한다.

+ 2점 : Latane and Darley가 발견한 가장 중요한 요소가 "사건 당시에 얼마나 많은 사람들이 있는가"였다고 서술하였다.

» 사람 수가 중요하다고 답했어도 맞는 것으로 한다.

[한글 번역]　뉴욕시의 역사에서 가장 수치스러운 사건 중의 하나는 1964년 퀸즈에 사는 키티 제노비즈라는 젊은 여성이 칼에 찔려 죽은 사건이다. 제노비즈는 범인에게 쫓기다가 노상에서 30분 동안 세 번이나 공격을 받았다. 그녀는 38명이나 되는 이웃들이 창문에서 지켜보는 가운데 살해당했다. 하지만, 그 시간 동안 38명의 목격자 가운데 누구도 경찰에 전화하지 않았다. 이 사건은 엄청난 자기 비난을 불러일으켰으며, 도시 생활의 비정함과 비인간적인 면을 상징하게 되었다. 후일 "뉴욕 타임스" 편집장이 된 아베 로젠탈은 이 사례를 책 속에서 다음과 같이 적었다. 제노비즈 양이 공격을 당하는 동안 목격자 38명 전원이 전화기를 들지 않은 이유를 누구도 설명할 수 없다. 이들 목격자 스스로도 그 이유를 말할 수 없기 때문이다. 하지만 그들의 냉담함은 사실상 대도시의 다양성 중 하나다. 이런 냉담함은 대체로 심리적인 생존에 관건이 된다. 어떤 사람이 수백만 명의 사람들에 둘러싸여 압력을 받았을 때, 그가 이 무수한 사람들이 자신에게 침입하는 것을 저지할 수 있는 유일한 방법은 가능한 그들을 무시하는 것뿐이다. 자기 이웃과 그들의 고통에 무관심해지는 것은 다른 대도시에서와 마찬가지로 뉴욕의 생활에서 불가피한 조건 반사이다. 이것은 일종의 상황론적인 설명이다. 도시 생활의 익명성과 소외는 사람들을 무정하고 무감각하게 만든다. 하지만 제노비즈에 관한 진실은 이보다 약간 더 복잡한데, 바로 이 점이 흥미롭다. 뉴욕시 심리학자인 콜롬비아 대학의 비브 라텐과 뉴욕 대학의 존 달리는 '방관자 문제'라고 명명한 현상을 이해하기 위해 일련의 사례를 연구했다. 그들은 어떤 사람이 달려와서 도움을 주는지 알아보기 위해 각기 다른 상황에서 이런저런 긴급 사태를 연출했다. 그들이 발견한 것은 놀라웠다. 예를 들어 한 실험에서 라텐과 존 달리는 방에 있는 한 학생에게 간질 발작을 연출하게 시켰다. 옆방에 오직 한 사람만이 있을 때 그가 달려와서 도와줄 확률은 85%였다. 하지만, 자신 이외에도 다른 4명의 사람이 발작 소리를 들었다고 생각할 때 그들이 달려올 확률은 불과 31%였다. 방문 아래로 연기가 새어 나오는 또 다른 실험에서 사람들은 혼자 있을 때는 75%가 보고를 했지만, 집단으로 있을 때 이 사건을 보고할 확률은 38%에 불과했다. 즉, 사람들이 집단으로 있을 때 행동에 대한 책임감은 희석된다. 그들은 누군가 다른 사람이 전화할 것이라 가정하거나 아니면 아무도 어떤 행동을 취하지 않기 때문에 명백한 문제—다른 방에서 들리는 발작 소리나 방문 소리나 방문 아래로 새어 나오는 연기 등—도 사실상 문제시하지 않는다. 아이러니하게도 그녀가 목격자가 단 한 사람 있는 외진 거리에서 공격을 당했더라면 살았을지도 모른다.

NOTE

02

Step 1	Survey
Key Words	death of Kitty Genovese; apathy(indifference); environmental explanation; bystander problem; in a group
Signal Words	why; one experiment; for example; another experiment
Step 2	Reading
Purpose	to point out the difference in the way people react to emergencies depending on whether they are lone or in a group
Pattern of Organization	series; cause&effect
Tone	neutral
Main Idea	People are more likely to report an emergency if they are alone than if they are in a group.
Step 3	Summary
지문 요약하기 (Paraphrasing)	People are more likely to report an emergency if they are alone than if they are in a group. Such as with Kitty Genovese, who was attacked and killed while 38 neighbors watched without taking action. Experiments have shown that this "bystander effect" takes shape as individuals show significantly less likelihood to take action when in a group.
Step 4	Recite
	요약문 말로 설명하기

함축의미, 추론

모범답안 The appropriate word for the blank is "hankerings". It can be inferred that Wittgenstein's popularity has subsided a bit to allow for other viewpoints to be discussed more.

채점기준

- 4점 : 모범답안과 같거나 유사하였다.
- 2점 : 둘 중 하나만 맞았다.
- 0점 : 모범답안과 다르다.

어휘

forge 구축하다
hankering 갈망
reclusive 세상을 버린, 은둔한, 쓸쓸한
subside 가라앉다

gnostic 영지주의적인; 신비주의적인
hepatitis 간염
resume 재개하다

한글 번역 1920년대에 케임브리지에서 램지는 그 이후로 철학 분야를 정의하게 된 다양한 생각들을 혼자서 구축했다. 진리, 의식, 지식, 논리, 과학이론의 구조 등에 관한 동시대의 논쟁들 모두가 램지에 의해 처음으로 정의된 견해들에서 발전해간다. 1930년 램지가 26세의 나이에 간염으로 사망하기 일 년 전에 루드비히 비트겐슈타인이 오스트리아에서 몇 년간의 은둔생활을 한 뒤 케임브리지로 돌아왔다. 비트겐슈타인 주변의 추종자들이 곧 열광했고, 향후 50년 동안 영어권 세계 전역에서 철학을 지배하게 되었다. 그러한 분위기가 진정되었을 때는 이미 램지는 어쨌든 역사상 다소 사소한 역할로 격하되었다.

어떤 면에서 램지와 비트겐슈타인은 공통점이 있었다. 그들은 둘 다 러셀에게서 영감을 받았고 철학의 첫 임무가 언어와 현실 사이의 관계에 대한 철학적 설명을 발전시키는 것이라고 여겼다. 그러나 그들은 철학적 성향이 꽤 달랐다. 비트겐슈타인의 첫 번째 책은 자신의 언어분석에 강력한 신비주의를 더했고, 이러한 영지주의적 분투는 그의 후기 철학의 신이상주의 속에서 더욱더 표명되었다. 그에 반해서 램지는 수학과 기초물리학의 눈을 통해서 세상을 보았다. 비트겐슈타인에게 과학은 적이었고 반면 램지에게는 친구가 되었다.

1929년에 비트겐슈타인은 영구히 케임브리지로 돌아왔다. 그와 램지는 그들의 차이를 메우며 거의 일 년 동안 철학 토론을 다시 시작하였다. 그러나 그들이 영구히 지적인 조화를 계속해 나갈 거라는 생각은 무리였다. 비트겐슈타인의 초월적 갈망은 그가 램지의 물질주의라고 간주한 것들을 받아들이는 것을 불편하게 했고, 램지로서는 비트겐슈타인이 자신의 사상에만 집중하는 배타적인 태도에 짜증이 났다. 지난 한 세기 동안 철학적 전망은 변화해 왔다. 이제는 중심적인 과제가 과학에 의해 드러난 세상 안에서 마음과 의미를 조정하는 것이어서 좀 더 높은 관점에 대한 갈망들은 사소한 것이 되었다. 이제 이러한 난제에 대처하는 일을 램지가 어느 정도로 진척시켰는지 생각해 보는 것이 바람직하다.

NOTE

02

Step 1	Survey
Key Words	F. P. Ramsey; Wittgenstein; materialism; transcendental hankerings
Signal Words	have in common; both; by the time; by contrast; difference; over the past century
Step 2	**Reading**
Purpose	to show the differences and similarities between the philosophers F. P. Ramsey and Ludwig Wittgenstein
Pattern of Organization	comparison&contrast; time order
Tone	argumentative
Main Idea	Although Wittgenstein dominated the field of philosophy for fifty years during the 20th century, the ideas of his colleague F. P. Ramsey have since come to the fore.
Step 3	**Summary**
지문 요약하기 (Paraphrasing)	Although Wittgenstein dominated the field of philosophy for fifty years during the 20th century, the ideas of his colleague F. P. Ramsey have since come to the fore. F. P. Ramsey developed philosophical ideas having to do with truth, meaning, logic, knowledge, and the structure of scientific theories, but he died young and his contributions to philosophy were overshadowed by the transcendental ideas of Ludwig Wittgenstein for half a century. Ramsey and Wittgenstein were friends, but their relationship was not always harmonious, because of their philosophical differences. Today philosophy faces the challenge of accommodating mind and meaning in the world of science, and Ramsey ideas are seen as helping meet that challenge, while Wittgenstein's transcendental ideas have become marginalized.
Step 4	**Recite**
요약문 말로 설명하기	

모범답안 The two words for the blank are "intentional fraud" or "intentional misconduct". It can be inferred that prosecution of high-level fraud was not successful half a century earlier.

채점기준
- 4점: 모범답안과 같거나 유사하였다.
- 2점: 둘 중 하나만 맞았다.
- 0점: 모범답안과 다르다.

어휘

aftermath 결과, 여파   esoteric 난해한, 비밀의
fiery 불같이   fraudulent 사기의
imprudent 경솔한, 무모한, 분별없는   inordinate 과도한, 지나친

한글 번역   때때로 대불황이라고 불리는 것이 시작된 이후 5년이 흘렀다. 경제가 서서히 개선되고 있지만, 아직도 일자리나 재산도 없고 희망도 없이 소리 없는 절망적인 삶을 살아가는 수백만의 미국인들이 있다. 누가 비난받아야 했는가? 단지 그것이 나태함의 결과였거나 소위 '거품'이라고 불리는 과도한 위험부담의 결과였거나 경솔했지만 뭘 몰라서 어려울 때를 대비해 충분한 비축을 하지 못한 결과였는가? 그렇지 않으면 적어도 부분적으로는 사기행각의 결과였거나 근본적인 취약점을 의도적으로 감추는 바람에 더욱 난해하고 비밀스러운 금융 상품 속에 포장되어 건전한 위험으로 묘사된 의심스러운 모기지론의 결과였는가? 만약 전자였다면, 형법은 그 후의 결과에 대해 할 역할이 없다. 왜냐하면 몇몇 경우를 제외한 모든 경우에, 형사소추라는 사납고도 맹렬한 무기가 목표로 삼는 것은 적어도 의도적인 불법행위이기 때문이다. 만약 대불황이 고위 경영진들에 의한 의도적인 사기행위가 전혀 아니었다면, 그러한 경영진들을 형사법상 기소하는 것은 가장 천박하고 야비한 종류의 '책임 전가'가 될 것이다. 그러나 이와 달리 대불황이 의도적인 사기의 산물이었다면, 그러한 책임이 있는 사람들을 기소하지 못한 것은 사법 역사상 최악의 실패 중의 하나로 여겨져야 한다. 사실, 그것은 대규모의 사기를 은밀히 조직한 최고위층의 인물들을 재판에 회부하는 데 있어 지난 50여 년 동안 연방검사들이 거둔 높은 성공과는 뚜렷한 대조가 될 것이다.

NOTE

Step 1	Survey
Key Words	economy; negligence; financial instruments; fraud
Signal Words	in all but a few circumstances; as a result; indeed
Step 2	Reading
Purpose	to highlight the question of who or what to blame for the Great Recession
Pattern of Organization	question&answer
Tone	critical
Main Idea	If the Great Recession was caused by fraudulent financial practices, then those who committed fraud should be brought to justice.
Step 3	Summary
지문 요약하기 (Paraphrasing)	Many Americans are still suffering from the economic downturn of the Great Recession. They wonder who was to blame. If it was caused by mere negligent risk-taking, then no one can be criminally prosecuted, but if high-level executives intentionally committed fraud, it would be an egregious failure of the criminal justice system not to prosecute them.
Step 4	Recite
	요약문 말로 설명하기

모범답안 First, the meaning of the underlined phrase is that the two sides of the debate regarding human cloning (and genetic modification innovations) are both unwilling to take action toward compromise with the other, leaving the issue in a static or frozen state. Second, regarding the liberal perspective on biomedical research, they do not want the cloning of people to take place.

채점기준

- 4점 : 모범답안과 같거나 유사하였다.
- 2점 : 둘 중 하나만 맞았다.
- 0점 : 모범답안과 다르다.

어휘

constituency 선거인, 유권자; 선거구; 후원자, 지지자　embryo 태아
eugenics 우생학　　　　　　　　　　　　　genetic modification 유전자 조작
make the public move towards ~에 대해 공적조치를 취하다
moratorium 모라토리엄, 지급유예; 일시정지　　　pro-choice 임신중절 합법화를 찬성하는

한글 번역　복제와 인간 유전자 조작의 새로운 기술들은 지금까지 개발된 것들 가운데 가장 강력하고 중요한 기술들에 속한다. 복제에 관한 현재의 논쟁은 두 지지자 집단들이 지배하고 있는데, 낙태에 반대하는 보수주의자들과 의생명과학자들이 그들이다. 낙태의 합법화에 찬성하는 많은 페미니스트는 출산 과정을 상품화하게 될 새로운 우생학에 대해 우려하고 있다. 인권 옹호자들은 새로운 우생학적 기술이 인종적, 민족적 증오의 불길에 기름을 끼얹게 될 것이라 염려하고 있다. 양측 모두 복제아를 금지하는 것은 지지하고 있지만, 보수주의자들은 또한 여러 연구 용도들을 갖고 있을지도 모르는 복제 기술의 사용을 즉각적이고도 영구적으로 금지하길 원하고 있지만, 생명공학기술 업계는 그 어떤 의미 있는 규제에 대해서도 저항하고 있다. 타협안으로써 의회가 아동 복제 금지 법안을 제정하는 한편, 연구용 복제를 영구적으로 금지할 것이 아니라 일시적으로 정지시키자는 제안이 있었다. 일시 정지 기간에 연구용 복제배아의 사용에 대한 제안된 많은 대안을 살펴볼 수 있을 것이다. 불행하게도, 어느 쪽도 아직 이런 종류의 실용적인 타협안에 대해 공적인 조치를 취하려 하지 않았다. 이러한 고착상태를 깨뜨리기 위해서는, 우리는 복제의 의미를 전부 고려하는 보다 광범위한 지지자 집단들이 필요하다.

NOTE

02

Step 1	Survey
Key Words	cloning; genetic modification; biomedical; biotech; moratorium
Signal Words	although; while; it's been suggested; unfortunately
Step 2	**Reading**
Purpose	to describe the two sides in the debate about cloning and point out the need for compromise
Pattern of Organization	comparison&contrast
Tone	critical
Main Idea	The debate over cloning and genetic modification shows scientists wanting biomedical research done with the technology, while conservatives want a full ban, and neither side has taken action for compromise.
Step 3	**Summary**
지문 요약하기 (Paraphrasing)	In the debate about human cloning, there are two main sides : antiabortion conservatives, who want to ban all cloning, and biomedical scientists, who want to be allowed to use cloning for research. A compromise has been suggested that would ban creating cloned children but would not permanently ban research cloning. So far, neither side has agreed to such a compromise.
Step 4	**Recite**
	요약문 말로 설명하기

04 하위내용영역 일반영어 A형 서술형　　배점 4점　　예상정답률 35%　　　　　　　　　본책 p.160

모범답안 The halo effect is the natural tendency to interpret all aspects of a person according to one significant characteristic. Second, if a story is consistent in narrative, the readers would be put at "ease" and with clear feelings as a result.

채점기준
- 4점 : 모범답안과 같거나 유사하였다.
- 2점 : 둘 중 하나만 맞았다.
- 0점 : 모범답안과 다르다.

어휘

compelling 주목하지 않을 수 없는; 설득력 있는, 강력한
flimsy 조잡한, 구차한
halo effect 후광 효과(하나의 뛰어난 특징 때문에 그 전체의 가치를 과대평가하는 것)
hunch 예감, 직감
manifestation (어떤 것이 존재하거나 일어나고 있음을 보여주는) 징후[표명], 발현
premonition 예감　　　　　　　　　　　　　　　　propensity 경향, 성향
recount (경험에 대해) 이야기하다, 말하다　　　　whim 기분, 변덕

한글 번역　"흑조"에서, 나심 탈렙은 '서사적 오류'라는 개념을 도입하여 과거에 대한 잘못된 이야기가 어떻게 세상에 대한 우리의 견해와 미래에 대한 우리의 기대를 형성해 가는지를 설명하였다. 세상을 이해하고자 하는 우리의 끊임없는 시도에서 서사적 오류는 불가피하게 생겨난다. 사람들이 주목하지 않을 수 없는 설명적 이야기는 단순하다. 그것들은 추상적이기보다는 구체적이다. 운보다는 재능과 어리석음과 의도 등에 더 큰 역할을 부여하며, 일어나지 못한 무수한 사건들보다는 일어난 소수의 두드러진 사건에 초점을 맞춘다. 탈레브는 우리 인간들은 과거에 대한 조잡한 이야기를 구성하고 그것들을 진실로 믿어버림으로써 자신을 끊임없이 속이고 있다고 주장한다. 사람들이 좋다고 여기는 이야기들은 사람들의 행동과 의도에 관해 단순하고 일관된 설명을 제공한다. 당신은 언제나 행동을 일반적 성향과 성격적 특징—결과와 용이하게 연결할 수 있는 원인—의 발현이라고 쉽게 해석해버린다. 후광 효과는 일관성을 높여준다. 왜냐하면 후광 효과는 우리가 어떤 사람의 전반적인 자질에 대한 견해를 그의 현저히 두드러지는 어떤 속성에 대한 우리의 판단과 일치시키도록 이끄는 경향이 있기 때문이다. 후광 효과는 평가의 일관성을 과장함으로써 설명적 서사를 단순하고 일관성 있게 유지하는 데 일조한다. 좋은 사람은 항상 좋은 일만 하고, 나쁜 사람은 항상 나쁘다는 식이다. "히틀러는 개와 어린이들을 좋아했다."라는 진술은 당신이 아무리 자주 듣더라도 언제나 충격적이다. 왜냐하면 그토록 악한 어떤 사람 안에 있는 다정함의 흔적이 후광 효과에 의해 확립된 기대와 어긋나기 때문이다. 불일치는 우리 생각의 용이함과 감정의 명료함을 감소시킨다.

02

NOTE

Step 1	Survey
Key Words	narrative fallacy; expectations
Signal Words	larger . . . than; always; because
Step 2	**Reading**
Purpose	to show how people use fallacies in their stories of the past in order to make sense of the world
Pattern of Organization	definition; cause&effect
Tone	neutral
Main Idea	Narrative fallacies occur because of people's want for over-simplified, concrete stories that reiterate events in a way to fit distortedly-consistent evaluations of a given person, known as the "halo effect".
Step 3	**Summary**
지문 요약하기 (Paraphrasing)	People like narrative fallacies when they give simple, inflated accounts of events. Such stories tend to categorize their characters completely under one essential quality in what is called "the halo effect", wherein good people always do good things and bad people who always do bad things, even though no one is all good or all bad.
Step 4	**Recite**
	요약문 말로 설명하기

모범답안 The word to fit the blank is "encouragement". Second, the implication of the underlined words is that the understanding of what causes genius can influence which students are chosen and nurtured in order to create high-achieving pupils.

채점기준

- 4점 : 모범답안과 같거나 유사하였다.
- 2.5점 : 둘 중 서술형 문제만 맞았다.
- 1.5점 : 둘 중 기입형(빈칸형) 문제만 맞았다.
- 0점 : 모범답안과 다르다.

어휘

academic 대학 교수; 학자
establish (사실을) 밝히다, 규명하다

accomplished 숙달된, 노련한

한글 번역 　영국의 한 심리학자의 연구에 따르면, 셰익스피어, 모차르트, 피카소와 같은 천재들이 "재능을 타고났다."라는 생각이 그릇된 통념이라고 한다. 엑스터 대학교의 마이클 호우 교수와 그의 동료들은 예술과 스포츠 분야에서의 뛰어난 성취를 조사한 후에 탁월함은 기회, 격려, 훈련, 동기 부여, 자신감, 그리고 무엇보다도 연습에 의해 결정된다고 결론을 내렸다.

전통적인 믿음과 완전히 결별한 이 이론은 전 세계의 학자들로부터 갈채를 받았다. 이 이론은 교사와 부모에게 상당한 영향을 미치고 있는데, 특히 그 이유는 재능을 타고났다고 생각되지 않는 아이들은 성공에 필요한 격려를 받지 못하고 있기 때문이다. 그 연구논문 저자들은 "널리 퍼져 있는 믿음, 즉 높은 수준의 능력에 도달하기 위해 사람은 재능이라 불리는 타고난 잠재력을 가지고 있어야 한다."는 신념에서 출발했다. 그들은 그 신념이 올바른 것인지 아닌지를 규명하는 것이 중요하다고 말했는데, 그 이유는 그 신념이 선발 절차와 훈련에 영향을 미치는 사회적·교육적 결과를 초래하기 때문이다.

그러나 능숙한 예술가와 수학자, 최고의 테니스 선수와 수영 선수에 관한 연구에 따르면 그들이 부모의 격려를 받기 전에 초기의 장래성은 거의 보이지 않았다. 혹독한 훈련에 수많은 시간을 쏟지 않고 최고의 업적을 이뤄낸 사람은 없었다. 음악에서든, 수학에서든, 체스에서든, 또는 스포츠에서든 간에, 매우 재능이 있다고 여겨졌던 사람들조차도 장기간의 교육과 연습이 필요했다.

NOTE

Step 1	Survey
Key Words	genius; talent; encouragement; training
Signal Words	according to; not least because
Step 2	**Reading**
Purpose	To show that practice and training are the cause of outstanding performance or innate talent
Pattern of Organization	cause&effect
Tone	persuasive
Main Idea	Outstanding achievement is the result of practice and training, not innate talent.
Step 3	**Summary**
지문 요약하기 (Paraphrasing)	Outstanding achievement is the result of practice and training, not innate talent. This idea has been embraced by academics, teachers and parents, because it means children previously seen as not gifted can succeed too. Questioning the belief in innate talent has the power to affect the social and educational issues affecting selection procedures and training. Notably, studies showed that encouragement and thousands of hours of training were found behind all those were accomplished well or were believed to be talented.
Step 4	**Recite**
	요약문 말로 설명하기

모범답안 The words that bests fits the blank is "new skill". The important characteristic of routine learning is that no learning takes place, which would interfere with the storage process of what was learned previously.

채점기준

- 4점 : 모범답안과 같거나 유사하였다.
- 2.5점 : 둘 중 서술형 문제만 맞았다.
- 1.5점 : 둘 중 기입형(빈칸형) 문제만 맞았다.
- 0점 : 모범답안과 다르다.

어휘

encode 암호화하다, 부호화하다
head 이끌다, 지도하다
neural 신경 (계통)의, 신경 중추의
retention 기억(력)

erode 서서히 파괴하다, 손상시키다
mind 지능
psychiatrist 정신과 의사
vulnerability 취약성

한글 번역 | 자전거를 타는 것과 같이 어떠한 새로운 신체적인 기술을 학습한 이후, 그 기억을 뇌에 영구적으로 저장하는 데는 6시간이 소요된다. 그러나 기억 및 지능에 대한 연구 결과에 따르면, 또 다른 새로운 기술을 배움으로써 이러한 저장과정을 방해할 경우 처음에 배웠던 기술이 머릿속에서 지워질 수도 있다고 한다. "시간 그 자체가 매우 강력한 학습요소라는 것을 우리의 연구 결과가 증명했습니다."라고 존스홉킨스대학에서 인간이 어떻게 기억하는지를 연구하는 팀을 이끄는 정신과 의사 헨리 홀컴박사가 주장했다. "어떤 것을 단순히 연습하는 것만으로는 충분하지 않습니다. 두뇌가 새로운 기술을 암호화할 시간이 주어져야 합니다." 연구원들은 뇌에서 혈류를 측정하는 기기를 사용했다. 그 연구원들은 새로운 기술에 대한 기억을 뇌의 앞부분에 있는 단기 저장소에서 뇌의 뒷부분에 있는 영구저장소로 이동시키는 데 5시간에서 6시간이 걸린다고 결론지었다. 그 6시간 사이에는 신경계의 '깨지기 쉬운 창'이 존재하는데, 만일 그때 두 번째 새로운 기술을 배우려고 시도할 경우 (첫 번째) 새로운 기술이 쉽게 기억에서 지워질 수 있다고 홀컴 박사는 말했다. "만일 당신이 피아노곡 하나를 처음으로 연주한 다음 즉시 다른 것을 연습하기 시작한다면, 당신이 연주했던 처음 곡을 기억하는 데 있어 문제를 초래하게 될 것입니다."라고 홀컴 박사가 덧붙였다. 그가 말하길, 만일 첫 번째 연습 이후 새로운 학습이 없는 반복 활동을 5시간 내지 6시간 동안 할 경우 (기억은) 훨씬 좋을 것이라고 한다.

02

NOTE

Step 1	Survey
Key Words	physical skill; permanent storage; memory
Signal Words	it is not enough; you have to; it would be better
Step 2	Reading
Purpose	to inform about the efficient way to learn by focusing on one skill followed by five or six hours of routine activity
Pattern of Organization	time order (process); cause&effect
Tone	neutral
Main Idea	It is better to follow a session of practicing a new skill with routine activities that do not require new learning.
Step 3	Summary
지문 요약하기 (Paraphrasing)	If after learning and initially practicing a new skill, you try to learn yet another new skill, you may interrupt the process of storing the first skill in permanent memory. It is better to follow a session of practicing a new skill with five to six hours of routine activities that do not require new learning.
Step 4	Recite
	요약문 말로 설명하기

모범답안 The word that suits the blank is "functions". Second, we can infer from the passage that Chandigarh previously had no centralized marketplaces, with smaller, Indian-style markets located in many villages or small neighborhoods.

채점기준
- 4점 : 모범답안과 같거나 유사하였다.
- 2.5점 : 둘 중 서술형 문제만 맞았다.
- 1.5점 : 둘 중 기입형(빈칸형) 문제만 맞았다.
- 0점 : 모범답안과 다르다.

어휘

centralized 집중화된; 중앙집권화된
label 라벨을 붙여 분류[명시]하다; 이름을 붙이다, 명명(命名)하다
layout 지면(地面) 구획, 배치; 설계   native (사물에) 고유한, 본래 갖추어져 있는
vary 다르다, 차이가 있다

한글 번역   가정에서 공간의 구분은 문화에 따라 달라질 수 있다. 대부분의 미국 가정에서 방의 배치는 그 기능에 따라 침실, 거실, 식당, 놀이방 등으로 공간을 분리 및 명명하는 것을 보여준다. 이러한 방식은 가정에서 방 하나가 다용도로 쓰이는 다른 문화와는 극명한 대조를 이룬다. 일본에서는 이동식 칸막이 벽이 있는 가정은 큰 방을 두 개의 작은 방으로 바꿀 수 있는데, 그리하여 거실을 침실로도 사용할 수 있다. 가정이나 도시의 설계가 다른 문화에 의해 영향을 받을 때, '원래 있던' 건축양식은 없어지거나 바뀌게 될 수 있다. 예를 들어, 한 프랑스 건축가가 인도 편잡지역의 수도인 찬디가르를 설계해달라는 부탁을 받게 되었다. 그 건축가는 대중교통과 마을 중심지로부터의 이동을 필요로 하는 중앙집중된 쇼핑센터를 갖춘 도시를 설계하기로 했다. 그 결과 인도인들은 그들이 사는 작은 동네에서 사교적으로 서로 만나는 일을 그만두었다. 명백히, 비인도식 건축양식의 도입이 도시에 사는 사람들의 문화적, 사회적 양상에 영향을 준 것이었다.

NOTE ►

Step 1	Survey
Key Words	separation of space; functions; influence; culture
Signal Words	in most; in sharp contrast; for example; eventually; apparently
Step 2	Reading
Purpose	to relate the cultural influence of different ways of using space
Pattern of Organization	comparison&contrast
Tone	critical
Main Idea	The way space is divided up and used varies from culture to culture and any change in that(the way space is divided up and used) can affect the way of life.
Step 3	Summary
지문 요약하기 (Paraphrasing)	The way people separate space in their homes or divide and use public space varies from culture to culture. In some cultures, each space serves a single function, while in others, a space may be multifunctional. When the use of space is influenced by another culture, it can change the cultural and social patterns of living.
Step 4	Recite
요약문 말로 설명하기	

모범답안   First, the implied meaning of the underlined words is that those communities rely on four-legged animals for food and survival, such as cattle, sheep, etc. Second, the writer believes wolves are valuable to the natural ecology and should not be eliminated.

채점기준

· 4점 : 모범답안과 같거나 유사하였다.
· 2점 : 둘 중 하나만 맞았다.
· 0점 : 모범답안과 다르다.

> **어휘**
>
> | | |
> |---|---|
> | anaemic 빈혈증의; 무기력한 | browse 나뭇잎을 먹다 |
> | compatible 양립할 수 있는 | desuetude 폐지, 폐절(廢絶), 불용(不用) |
> | embodiment 구체화, 구현 | get[have] a good press (언론의) 호평을 받다 |
> | odd 이상한 | presumably 아마, 추측하건대 |
> | prowl 찾아 헤매다; 배회하다 | seedling 묘목, 어린 나무 |
> | spawn 산란하다; 야기하다 | turn on ~에 대들다, 갑자기 공격하다 |

> **한글 번역**   늑대는 여러 이야기에 악의 화신으로 나온다. 어떤 면에서 보면, 늑대가 인간에게 최악의 적이라는 것은 이상한 일이다. 훨씬 더 좋은 평을 받는 곰이 더 위험하다. 곰을 괴롭히면 당신에게 달려들 수 있으나, 늑대를 괴롭히면 달아날 것이다. 아마도 경쟁이 이러한 오랜 증오를 설명해줄 것이다. 한 떼의 늑대들은 한 시간 안에 수백 마리의 양을 기꺼이 죽일 것이다. 네 발 달린 동물에게 생계가 달린 사회에서는, 늑대와 인간이 양립할 수 없다. 이러한 경쟁 관계가 끔찍한 잔인함을 야기했고, 19세기 초 미국에서는, 늑대를 죽이는 것을 좋은 오락으로 간주하였다. 그러나 20세기 중반 무렵에 정서가 바뀌기 시작했다. 우선, 보존주의 사고에 변화가 찾아왔는데, 그것은 미국 환경운동의 아버지인 알도 레오폴드의 삶과 글이 잘 보여주고 있다. 20세기 초에, 환경운동가들은 포식동물들이 다른 동물들을 죽이기 때문에, 환경 보존은 포식동물들을 죽임으로써 가장 잘 이루어질 수 있다고 믿었다. 그러나 레오폴드는 이러한 운동의 결과에 대해 점점 우려하게 되었다. 그의 환경 보호 관련 베스트셀러 가운데 하나에서, 그는 다음과 같이 썼다. "나는 최근에 늑대가 살지 않게 된 많은 산의 표면을 주의 깊게 관찰했는데, 남쪽을 향해 있는 비탈면에 사슴이 지나다니는 길들이 미로와도 같이 어지럽게 새로 나 있는 것을 보았다. 나는 모든 식용 관목과 어린나무들이 그 잎들이 뜯겨, 처음에는 활기 없이 시들어가다, 나중에는 죽어가는 것을 목격하였다."

02

Step 1	Survey
Key Words	competition; cruelty; conservationist; environmental
Signal Words	it is odd that; presumably; yet; first
Step 2	**Reading**
Purpose	to highlight the change in attitude toward wolves
Pattern of Organization	time order; cause&effect
Tone	critical
Main Idea	Killing wolves off rampantly has led to envirenmental problems, resulting in a change in attitude about wolves.
Step 3	**Summary**
지문 요약하기 (Paraphrasing)	Wolves used to be regarded as dangerous and even evil because they would attack livestock as well as other wild animals, so people killed them off. But then, in the middle of the 20th century, people began to take seriously Aldo Leopold's concerns about the environmental damage caused by the loss of the wolf population, so their attitudes toward wolves have changed.
Step 4	**Recite**
	요약문 말로 설명하기

03 요지, 목적, 제목

01 하위내용영역 일반영어 B형 서술형　배점 4점　예상정답률 50%　　　　본책 p.170

모범답안 The main idea is that animal experimentation is an essential practice for medical advances that should be conducted humanely. Second, the three Rs are as follows : reducing the number of animals employed in the experiment to the minimum; replacing animals with alternatives when scientific results are the same; refining animal experiments to minimize the pain inflicted on the animals.

채점기준

+2점 : 글의 main idea를 "animal experimentation is an essential step for dealing with human diseases" 라고 정확하게 서술하였거나 유사하게 서술하였다. 또한, 위의 내용이 들어가 있으면서 다른 확장된 내용이 있는 것도 맞는 것으로 한다. 위 밑줄 친 3개가 다 들어가 있어야 한다.

　》 "animal experimentation is an essential step"이라고만 했으면 1점을 준다.

+2점 : the three Rs이 무엇인지 정확하게 서술하였다. "reducing the number of animals employed in the experiment to the minimum; replacing animals with alternatives when scientific results are the same; refining animal experiments to minimize the pain inflicted on the animals"

　》 셋 중 2개만 서술했다면 1점을 준다.

　》 셋 중 1개만 서술했거나 전혀 못했다면 0점을 준다.

한글 번역　동물 실험에 대한 찬성과 반대 모두 감정적인 주장들이 많지만, 가장 명백한 사실들로부터 출발하자. 만약 당신이 의학의 역사를 살펴본다면, 당신은 동물에 행하는 실험이 거의 모든 주요 의학적 진보에 중요한 부분이었다는 것을 발견할 것이다. 피가 우리의 혈관을 통해 순환한다는 발견, 폐가 작동하는 방식의 이해, 비타민과 호르몬의 발견과 같은 의학의 많은 초석은 이런 식으로 만들어졌다.

의술의 주요 진보 그 자체의 대부분 또한 동물 실험에 의존했다. 15세기에 2000명에서 4000명 사이의 사람들이 영국에서 매년 소아마비에 의해 마비되거나 죽었지만, 소아마비 백신 덕분에 이 숫자는 이제 일 년에 단지 하나 혹은 두 사례로 떨어졌다. 근대 수술은 오늘날의 마취약 없이는 불가능할 것이다. 목록은 계속된다 : 장기 이식, 심장 수술, 골반 교체, 암과 천식을 위한 약—동물은 이 의학적 진보에 중요한 역할을 했다.

동물 실험은 인간의 생명을 구하는 의학적 진보에 필요한 유일한 종류의 연구가 아니었다. 인간 자원자에 대한 연구 역시 매우 중요했으며, 시험관 실험은 많은 경우에 필수적이었다. 그러나 의학의 역사는 우리에게 만일 우리가 질병에 대처하고 싶다면 동물 실험은 필수적이라는 것을 말해준다.

이것이 우리가 직면한 딜레마이다. 우리는 고통을 방지하고 싶어 한다. 중대한 이슈는 우리가 연구에서 어떻게 동물을 사용하는가이다. 근대 과학은 인간 실험 기술을 발전시켜왔다. 동물이 심지어 알아차리지도 못하는 방법을 사용하여 동물 실험을 하는 것이 가능하다. 이 동물들이 견뎌야 하는 가장 최악은 규칙적인 음식과 물이 있는 우리 안에서, 동물 사육사와 그 동물들을 돌봐줄 수의사와 함께 사는 것이다.

실험동물 복지의 황금률은 세 R의 원칙을 사용하여 개입될 수 있는 어떤 고통도 최소화하는 것이다. 첫째, 당신은 각각의 실험에서 이용되는 동물의 수를 과학적 결과를 줄 수 있는 최소한으로 줄인다. 그다음, 가능한 한 언제든, 당신은 동물실험에 동물을 사용하지 않지만 동등하게 과학적 결과를 가져다줄 대안으로 교체한다. 마지막으로, 당신은 당신이 하는 동물 실험을 개선하여, 그 실험들이 가능성 있는 피해를 가장 적게 야기할 수 있도록 한다. 만약 어떤 실험이 동물에 행하는 수술을 수반한다면, 그 동물에게 마취제를 주어라. 그 동물이 의식을 회복하면, 진통제와 감염에 대항할 약을 주어라.

NOTE

Step 1	Survey
Key Words	animal experimentation; medical advances; technique
Signal Words	The list goes on...; First; Then; Finally
Step 2	Reading
Purpose	to outline the importance of animal experimentation and the humane practice
Pattern of Organization	series
Tone	persuasive
Main Idea	Animal experimentation is an essential practice for medical advances that should be conducted humanely.
Step 3	Summary
지문 요약하기 (Paraphrasing)	Animal experimentation is an essential practice for medical advances that should be conducted humanely. It has led to many cures, deeper understanding of anatomy as well as important surgical techniques. However, to minimize suffering that happens in animal testing, humane practices should be used. The principle of minimizing suffering is known as the three R's : reducing animals used, replacing animals with alternatives and refining experiments to cause the least amount of harm.
Step 4	Recite
요약문 말로 설명하기	

모범답안 The title is differences between Scientific and Artistic Creativity. Second, it is because *the Florentine Camerata* illustrates an example that established a principle of organization but does not demonstrate aesthetic significance. Third, the word to fit the blank is "extenting".

채점기준

+1점 : 글의 제목이 "Differences between Scientific and Artistic Creativity"이라 서술했거나 유사하게 서술하였다.

+2점 : 글의 저자가 *the Florentine Camerata*를 언급한 이유를 "*the Florentine Camerata* illustrates an example that established a principle of organization but does not demonstrate aesthetic significance." 이라 서술했거나 유사하게 서술하였다.

+1점 : 빈 칸에 들어갈 단어를 "extending"이라 정확히 답하였다.

한글 번역 과학에 있어서, 새로운 이론은 목표이며 창조적인 행위의 최종 결과이다. 혁신적인 과학은 어떤 다양한 현상이 다른 현상과 더 일관된 방식으로 관련되어 있을 수 있는지에 관련하여 새로운 명제를 낳는다. 눈부신 다이아몬드나 둥지를 트는 새와 같은 현상들은 데이터의 역할로 격하되어, 새로운 이론을 공식화하거나 실험하는 도구로써 역할을 수행한다. 매우 창조적인 예술의 목표는 매우 다르다: 현상 그 자체가 창조적인 행위의 직접적인 산물이 된다. 셰익스피어의 "햄릿"은 우유부단한 군주들의 행동이나 정치적 권력의 사용에 관한 책이 아니며, 피카소의 그림 게르니카가 주로 스페인 내란이나 파시즘의 악함에 대한 명제적 진술인 것도 아니다. 매우 창조적인 예술적 행위가 낳는 것은 확고한 한계들을 초월하는 새로운 일반화가 아니라, 다소 심미적인 특색이다. 매우 창조적인 예술가에 의해 생산되는 심미적인 특색은, 혁신적인 방식으로, 이미 존재하는 형태의 한계를 초월하기보다는 확장하거나 활용한다. 이것은 매우 창조적인 예술가가 때때로 예술적 분야의 역사 속에서 조직의 새로운 원칙을 세운다는 것을 부정하는 것이 아니다: 최상의 심미적 가치를 가진 음악을 창조했던, 클라우디오 몬테베르디가 떠오른다. 그러나 더 일반적으로 한 작곡가가 음악의 역사에서 새로운 원칙을 확립하는가 아닌가는 그 심미적인 가치에 거의 영향이 없다. 조직의 새로운 원칙을 구현하기 때문에 오페라 '피렌체 카메라타'와 같은 몇몇 음악적 작품은 귀중한 역사적 중요성을 가지지만, 음악을 듣는 사람이나 음악학 연구가는 대부분 이런 작품들을 음악의 위대한 작품에 포함하려 하지 않을 것이다. 반면, 모차르트의 '피가로의 결혼'은 비록 그 대단치 않은 수준의 혁신이 기존의 수단을 확장하는 데에 국한되어 있다 하더라도 분명히 음악의 걸작 사이에 있다.

NOTE

Step 1	Survey
Key Words	sciences; theory; art; aesthetic particular; principle; goals
Signal Words	On the other hand
Step 2	Reading
Purpose	to explain the difference between scientific and artistic creativity
Pattern of Organization	comparison&contrast
Tone	neutral
Main Idea	In highly creative art, the aesthetic worth comes primarily from innovation extending the limits of an existing form, not from a new organizing principle that is the goal of highly creative acts of science.
Step 3	Summary
지문 요약하기 (Paraphrasing)	In highly creative art, the aesthetic worth comes primarily from innovation extending the limits of an existing form, not from a new organizing principle. On the other hand, in science, such aesthetic particulars are data intended to be organized under a new theory. In some exceptions, an artist has created a new organizing principle through creation, but this is unrelated to these works' perceived greatness.
Step 4	Recite
	요약문 말로 설명하기

02

모범답안 The main idea of the passage is that oxytocin has evolved into playing an important role for mankind, including ensuring the protection of the young and also bonding humans with dogs. The problems addressed are : parents have to want to take care of their young and they need to be able to recognize their offspring.

채점기준

+2점 : 이글의 요지를 "oxytocin has evolved into playing an important role for mankind, including ensuring the protection of the young and also bonding humans with dogs"라고 명확하게 서술하였다.

» 다음과 같이 서술하였을 경우에도 2점을 준다.

"oxytocin played an important role for mankind and ensure the protection of the young and also bonding humans with dogs" 또는 "the hormone oxytocin has evolved into playing an important role in mankind and in bringing humans and dogs together"

» 다음과 같이 서술하였을 경우엔 1.5점을 준다.

The hormone oxytocin has evolved into playing a major role in bringing humans and dogs together

+2점 : 밑줄 친 both problems를 "parents have to want to take care of their young(1점) and they need to be able to recognize their offspring"(1점)이라 명확하게 서술하였다.

감점 >>>

• 문법적으로 2–3개의 오류 0.5점 감점
• 표현상으로 2–3개의 오류 0.5점 감점
• 문법적으로 4개 이상의 오류 1점 감점
• 표현상으로 4개 이상의 오류 1점 감점
• 첫 번째 답안을 한 문장으로 쓰지 않았다면 0.3점 감점
• 두 번째 답안을 본문에서 6단어이상을 연속으로 인용하였다면 0.3점 감점

한글 번역 진화는 큰 혁신을 만들어냈다. 포유류의 호르몬인 옥시토신은 진화하여 포유류를 포유류답게 만들어주는 중요한 역할을 하게 되었다. 다른 동물들은 보통 태어나자마자 자기 스스로 살아갈 수 있다. 예를 들어 악어는 태어나자마자 곤충을 잡는다. 하지만 포유동물은 느리게 성장하며 어미들이 새끼들에게 먹이를 먹여야 한다. 옥시토신은 새끼들이 모유를 원할 때 어미들이 모유를 더 만들어낼 수 있도록 촉진함으로써 이것이 가능해지도록 진화했다. 새끼에게 젖을 먹일 수단을 진화시킨 것은 겨우 절반을 해낸 것일 뿐이다. 새끼들을 돌보며 모유를 생산하고 포식자들을 막기 위해 엄청난 칼로리를 투자해야 한다. 여러 개체 속에서 자기 새끼를 알아볼 수도 있어야 한다. 다른 개체들이 그들의 유전자를 남기도록 돕는 데 자신의 에너지를 낭비하지 않기 위해서다. 옥시토신은 두 문제를 모두 해결하는 데 기여한다. 하지만 정말 놀라운 것은 지난 5만 년 사이에 일어났다(옥시토신이 존재했던 기간 중 마지막 0.01%의 기간이다). 진화상으로는 눈 깜박할 사이인 이 기간에 인간은 다시 한번 옥시토신이 주된 역할을 하는 새로운 일을 시작했다. 바로 늑대를 길들인 것이다.

이 일이 어떻게 일어났을까? 학자들은 현대의 개와 그 주인이 상호작용을 할 때 옥시토신이 분비된다는 사실을 밝혀냈다. 놀라운 점은 상호작용 중 인간을 가장 많이 응시한 개들에서 옥시토신이 많이 크게 증가했다는 것이다. 이는 인간도 마찬가지였다. 연구진은 개를 두 그룹으로 나누어 각각 코에 옥시토신과 식염수를 뿌렸다. 옥시토신을 뿌린 개들은 자신의 주인을 더 오래 응시했고 그 결과 옥시토신 수치가 올라갔다. 이 모든 것은 개와 그 개의 주인에게만 영향을 미쳤다. 사람이 기른 늑대들과 그 주인들은 이 실험에 같은 방식으로 반응하지

않았으며, 옥시토신을 뿌린 개들은 낯선 사람은 더 오래 응시하지 않았다. 즉, 개와 인간의 뇌는 두 종 사이의 유대감을 위해 옥시토신을 이용하도록 매우 빠르게 진화한 듯 보인다. 이는 몇몇 사람들이 왜 자신의 개에게 마치 아기를 대할 때처럼 유아어를 사용하는지 설명해 준다.

NOTE ▶

Step 1	Survey
Key Words	evolution; oxytocin; offspring; mammals; dogs; bonding
Signal Words	for example; How did this occur?
Step 2	Reading
Purpose	to show how oxytocin came to benefit humankind and bonding with dogs
Pattern of Organization	series; cause&effect
Tone	not clear
Main Idea	Oxytocin has evolved to play an important role in mankind's preservation of offspring and bonding with dogs.
Step 3	Summary
지문 요약하기 (Paraphrasing)	Oxytocin has evolved to play an important role in mankind's preservation of offspring and bonding with dogs. Through it, parents want strongly to invest time raising and protect their children. Likewise, it came to serve human bonding with dogs as its levels rise in dogs when looking at their owners and vice versa.
Step 4	Recite
	요약문 말로 설명하기

모범답안 The main intention for writing the passage is to highlight the problem with declining hours of operation experience for young surgeons and its effect on ability. Previously, the most effect training was hands-on with daily operation experience.

채점기준

• 4점: 모범답안과 같거나 유사하였다.
• 2점: 둘 중 하나만 맞았다.
• 0점: 모범답안과 다르다.

어휘

cutting-edge 최첨단의
laudatory 칭찬의
obsolete 더 이상 쓸모가 없는, 구식의, 낡은
resuscitation 소생, 의식의 회복
scramble 급히 서둘러 하다
simulated 모의의, 모조의, 흉내 낸

first-hand 직접 얻은, 경험한
make up for ~을 벌충하다, 만회하다
pedantic 학자티를 내는, 아는 체하는, 현학적인
sardonic 냉소적인, 조소하는; 비꼬는
scrub (수술 전에 외과 의사·간호사가 손과 팔을) 씻다
surgical 외과의, 수술의

한글 번역　거의 한 세기 동안, 외과 전문의의 실습 기간은 집중적인 경험을 하는 시기인 동시에 책임이 증가하는 시기였다. 최근의 연구가 한층 더 축적되면서 외과 의사의 수술 기술, 시술한 수술 횟수와 환자의 결과 사이에 강력한 상관관계가 있음이 입증되면서, 이러한 접근법이 옳았음이 확인되고 있다. 지난 10년 동안, 젊은 외과 수련의들이 병원에서 보내는 시간의 상한선이 정해지면서, 수술에 참여할 기회도 덩달아 줄어들었다. 이전 세대의 수련의들이 적어도 하루에 한 번 수술에 참여했던 반면에, 요즘의 수련의들은 1주일에 두 번 혹은 세 번 정도의 수술에 참여할 시간만 있었다. 외과 분야를 선도하는 이들은 오늘날 젊은 예비 외과 의사들이 병원에서 보내는 시간이 줄어듦으로써 '잃어버린' 시간을 계산했는데, 그들이 거의 1년 치에 해당하는 경험을 놓치고 있다고 추정하였다. 수술 자체도 변화하고 있고, 현재 외과 의사가 필요로 하는 기술의 숫자도 늘어나고 있었다. 새로운 약물이 발견되면서 한때 표준적이었던 수술이 실시되는 일이 줄어들었지만, 완전히 쓸모없어진 것은 아니었다. 그래서 외과 의사들은 그런 수술들을 예전만큼 자주 하지는 않게 되긴 했어도, 모든 수술법을 다 알고는 있어야 했다. 외과 수련 프로그램들은 온라인 교육 도구를 개발하고 수련의들에게 모의수술실에서의 수술 경험과 전자 마네킹을 이용한 심폐소생술 기회를 제공함으로써, 줄어든 시간을 서둘러 벌충하고 끊임없이 늘어나는 지식을 다루었다. 그러나 한 연구 결과가 보여주듯이, 최상의 설비로 채워진 가상 실험실이라 해도 잃어버린 1년 치의 경험에 해당하는 가치를 대신할 수는 없다.

NOTE

Step 1	Survey
Key Words	surgeons; residency; experience; simulation
Signal Words	more recent research; for the past decade; while previous generations
Step 2	**Reading**
Purpose	to point out the problems of the current system of training surgeons
Pattern of Organization	not clear; time order
Tone	critical
Main Idea	Young doctors in training to become surgeons receive less experience than they used to.
Step 3	**Summary**
지문 요약하기 (Paraphrasing)	Young doctors in training to become surgeons receive less experience than they used to. Up until about a decade ago, doctors in training to become surgeons gained experience in the operating room almost on a daily basis, but recently they have only enough time to participate in two or maybe three operations a week. This means they lose the equivalent of a year's worth of experience. Training programs try to make up for this using simulation, but this is inadequate.
Step 4	**Recite**

요약문 말로 설명하기

모범답안 It is to criticize the idealization of the social elite by the media. Second, the word for the blank is "media".

채점기준
- 4점 : 모범답안과 같다.
- 2점 : 둘 중 하나만 맞았다.
- 0점 : 모범답안과 다르다.

한글 번역   방송과 신문은 정기적으로 대단한 성공을 거둔 개인들에 대한 과장된 선전 기사를 내보낸다. 이러한 이야기들의 주인공들은 대개 스포츠나 연예계의 유명 인사들이다. 사회면이나 가십란은 엘리트 계층이 서로서로 알게 해주는 기능을 하며, 평범한 사람들이 엘리트 계층의 부절제를 넋을 잃고 멍하니 바라보게 하며, 아메리칸 드림이 실현 가능한 것이라고 믿도록 해준다. 신문은 거대한 회사의 창업자를 다루는 특집 기사를 아주 좋아한다. 이러한 이야기는 때때로 내부인의 성공한 기업가의 개인적 또는 회사 내에서의 삶에 대한 시각을 보여주는데, 그 내용은 기업의 성공을 거지가 갑부가 되는 이야기처럼 설명하고 있다. 이러한 이야기들은 기업의 성공이 일련의 영리한 대처, 기민한 인수, 시기적절한 합병, 그리고 적시의 임원 이동에 기인한 결과라고 말하고 있다. 상류 계급을 긍정적인 방향으로 그리고 아무런 잘못도 저지르지 않은 것처럼(노동운동 지도자나 노동조합은 이와 정반대의 대우를 받는다) 색칠함으로써, 매체들은 부와 권력이 호의적인 것이란 확신을 심어준다. 한 사람의 자본축적은 전체를 위하여 이로운 것으로 추정된다. 엘리트계급은 투자의 마법사 또는 특별한 재능과 기술을 가진 사람으로 묘사된다. 또는 이들의 희생자들인 노동자와 소비자들도 심지어 이들을 숭배하는 것처럼 묘사된다.

NOTE

Step 1	Survey
Key Words	media; elite; upper class
Signal Words	also
Step 2	**Reading**
Purpose	to criticize the idealization of the social elite by the media
Pattern of Organization	series
Tone	critical
Main Idea	The way that the media present the upper class is intentionally manipulative and positive.
Step 3	**Summary**
지문 요약하기 (Paraphrasing)	The way the media present the successful is meant to portray them as benevolent and specially skilled individuals, without questioning them or their actions.
Step 4	**Recite**
요약문 말로 설명하기	

모범답안 The main idea is that though our way of life is likely to be fundamentally transformed in the near future thanks to biotechnology, it raises many ethical questions. Second, the word for the blank is "bio-industrial".

채점기준

+2점 : 모범답안과 같거나 유사하다.

"because of biotechnology (supported by the fusion of the information and life sciences), our way of life is likely to be fundamentally transformed in the near future. However, it raises many ethical questions about its negative side-effects."

》 내용은 모범답안과 유사하지만 "the biotechnology가 원인"이라는 표현이 빠져있으면 1점만 준다.

》 내용은 모범답안과 유사하지만 "생명공학이 야기할 윤리적인 문제"에 대한 서술이 없으면 1점만 준다.

+2점 : 빈칸에 들어갈 한 단어를 "bio-industry"라 정확하게 기입하였다.

한글 번역　지난 40여 년 동안 평행선을 달리던 정보와 생명과학이 생명공학 시대에 토대가 되는 하나의 강력한 기술적이고 경제적인 힘으로 융합되기 시작하였다. 컴퓨터는 새로운 세계화 경제의 원자재인 거대한 유전 정보를 해독하고, 관리하고 조직하는 데 사용되기 시작했다. 이미 초국적 기업들은 거대한 생명과학 복합체를 만들어내고 있는데, 이것들로부터 바이오산업이 나오고 있다.

　인류 역사에서 처음으로 음식과 섬유가 실내에 있는 거대한 박테리아 용기 안에서 자랄 것 같은데, 이런 것들은 앞으로 농부와 땅을 없애버릴 가능성이 높다. 동물이나 인간 복제는 '재생산'을 대신하면서 점점 더 증가하는 '복제'로 인해 흔한 일이 될 수 있다. 수백만의 사람들은 그들 자신에 대한 자세한 유전자 해독을 획득할 수 있다. 이 유전자 해독은 전에는 가능하지 않았던 그들의 생물학적인 미래를 바라보고 예측하고 그들의 삶을 여러 방법으로 계획하도록 허락한다. 부모들은 임신하기 위해 테스트 튜브에서 그들의 아이들을 선택할 수도 있고 인간의 몸 밖에 있는 인공적인 자궁 안에 잉태할지도 모른다. 유전적 변화가 인간의 태아 내에서 행해질 수 있는데, 치명적인 병과 장애를 바로잡기 위해서 이기도 하고, 또한 기분, 행동, 지능, 그리고 신체적 특징을 향상하기 위해서이기도 하다.

　생명공학 세기는 이 세상의 가난한 사람들을 먹이기 위해 유전적으로 조작된 식물과 동물의 풍요, 상업을 촉진하고 유전적으로 재생 가능 사회를 만들기 위해 에너지와 섬유의 유전적 정보의 풍요, 또한 더 건강한 아이를 생산하고, 인간의 고통을 덜어주고, 인간의 수명을 확장하려는 경이로운 약과 유전적 치료의 풍요를 약속한다. 하지만 우리가 이 '멋진 신세계'로 들어가는 매 발걸음에는 아주 끈질기고 어려운 질문, 즉, "거기에 어떠한 대가가 따르는가?"라는 질문이 우리를 귀신처럼 따라다닐 것이다. 복제된, 공상적인, 그리고 유전자변형의 동물의 인공적인 생산은 자연의 종말과 생명공학 산업의 세상이 (자연을) 대체하는 것을 의미하는 것인가? 유전적으로 조작된 수많은 생명체들이 환경 속으로 엄청나게 방출되는 것이 재앙적인 유전적 오염과 생물권에 피할 수 없는 피해를 야기할 것인가? 한 줌 밖에 안되는 생명과학 회사에 의해 독점적으로 통제되는 특허받은 지적 재산에 세계의 유전자 공급원을 주는 것이 세계 경제와 사회에 어떠한 결과를 미칠까? 아기들이 자궁 안에서 유전적으로 조작되고 주문 제작되는 세상에서, 그리고 사람들이 점점 더 자신의 유전자형에 기초하여 신원이 확인되고, 정형화되며, 차별되는 세상에서 산다는 것은 무엇을 의미하게 될까? 우리가 더욱 '완벽한' 인간을 설계하려 시도할 때 닥치게 되는 위험은 무엇일까?

NOTE

Step 1	Survey
Key Words	biotechnology; bio-industrial world; cost
Signal Words	none
Step 2	Reading
Purpose	to point out the possible effects of biotechnology and raise questions about it
Pattern of Organization	series
Tone	concerned; cautious
Main Idea	Though our way of life is likely to be fundamentally transformed in the near future thanks to biotechnology, it raises many ethical questions.
Step 3	Summary
지문 요약하기 (Paraphrasing)	Though our way of life is likely to be fundamentally transformed in the near future thanks to biotechnology, it raises many ethical questions. The growing influence of biotechnology will change food and individuals a great deal and have unforeseeable consequences on the planet. It was only recently that biotechnology came into play with computers and corporate support. This will create new ways of growing food and having children. Likewise, there will be changes across many other fields such as energy and medicine. As all these innovations are unleashed, it is difficult to say what the ultimate effect on the world will be.
Step 4	Recite
	요약문 말로 설명하기

02

01 하위내용영역 일반영어 B형 서술형　　배점 4점　　예상정답률 45%　　　　　　　　　　본책 p.184

모범답안 The author of the passage presents three assertions skeptics of computer intelligence preset : computers are serial, digital, and cannot generate emotion. The writer rebuffs the first two points by explaining the modern computers operate with parallel and analogous processes. Then, the third point is challenged by the fact that human brains employ biological "computing" to process emotions, showing that the two processes are not dissimilar. Second, the word is "computer".

채점기준

- 3점 : 모범답안과 같거나 유사하다. 회의주의자들 주장 3개를 올바르게 서술하고(1.5점), 저자의 반박 3개의 내용을 모두 올바르게 서술하였다.(1.5점)
  ≫ 위의 기준을 바탕으로 점수를 조합한다.
- 2점 : 회의주의자들 주장 3개를 올바르고 명확하게 서술하였으나, 저자의 반박은 2개만 올바르게 서술하였다. 혹은 회의주의자들 주장 2개만 서술하였고, 저자의 반박은 3개 모두 올바르게 서술하였다.
- 1점 : 회의주의자들 주장 2개만 서술하였고, 저자의 반박은 2개만 올바르게 서술하였다. 혹은 회의주의자들 주장 3개를 명확하게 서술하였고, 저자의 반박은 구체적이지 못하고 뭉뚱그려 서술하였다.
- 0점 : 회의주의자들 주장 0-1개만 서술하였고, 저자의 반박도 0-1개만 서술하였다.
- +1점 : 빈칸에 들어갈 단어를 "computer"라 정확히 답하였다.

한글 번역　　우선, 왜 두뇌가 컴퓨터가 아닐 수도 있는가에 대한 일반적인 주장들은 꽤 빈약하다. "두뇌는 병렬적이지만, 컴퓨터는 순차적이다."라는 주장을 들어 보자. 궁극적으로 인간이 무언가를 할 때마다, 두뇌의 서로 다른 많은 부분이 사용된다는 점을 비평가들이 주목하는 것은 옳다; 그건 병렬적이지, 순차적인 것이 아니다.

그러나 컴퓨터가 완벽하게 순차적이라는 생각은 한심하도록 시대착오적이다. 데스크톱 컴퓨터가 대중적으로 된 이래로, 컴퓨터에는 하드 드라이브 컨트롤러나 중앙처리장치 같은 서로 다른 부품에 의해 동시에 여러 계산이 처리되면서 어느 정도의 병렬성도 항상 있었다. 그리고 시간이 지남에 따라 하드웨어 사업에서의 트렌드는 멀티코어 프로세서와 그래픽 처리 장치와 같은 새로운 접근법을 사용하여, 컴퓨터를 더욱더 병렬적으로 만드는 것이었다.

컴퓨터 비유에 대한 회의론자들은 또한 "두뇌는 아날로그지만, 컴퓨터는 디지털이다."라고 주장하기를 좋아한다. 여기 이 생각은 디지털인 것들은 디지털 시계 같은 오직 개별적인 분할로 작동한다는 것이지만, 구식 시계처럼 아날로그인 것들은 부드러운 연속체 속에서 작동한다는 것이다.

그러나 둘 중 어느 포맷이든 시계에 적용할 수 있듯이 둘 중 어느 포맷이든 컴퓨터에 적용 가능하며, 많은 '디지털' 컴퓨터 스위치들은 아날로그적 부품과 처리로부터 구축된다. 비록 궁극적으로는 모든 근대 컴퓨터가 디지털일지라도, 대부분의 초기 컴퓨터들은 아날로그였다. 그리고 우리는 우리의 두뇌가 아날로그인지 디지털인지 혹은 그 둘의 어떤 혼합일지 여전히 정말로 아는 것은 아니다.

또한, 인간의 두뇌는 감정을 생성할 줄 아는 반면, 컴퓨터들은 그렇지 못하다는 인기 있는 주장이 있다. 그러나 컴퓨터가 우리가 아는 대로 확실히 감정이 결핍된 반면, 그 사실 자체가 감정이 연산의 산물이 아니라는 것을 의미하는 건 아니다. 반대로, 감정을 조절하는 편도체와 같은 신경 체계는 두뇌의 나머지가 하는 방식과 대략 같은 방법으로 일하는 것으로 보이는데, 이를 통해 말하려 하는 것은 그 신경 체계가 정보의 신호를 보내고 정보를 통합하며, 투입을 산출로 바꾼다는 것이다. 어느 컴퓨터 과학자라도 당신에게 말할 것과 같이, 그건 꽤 컴퓨터가 하는 일이다.

NOTE

Step 1	Survey
Key Words	brains; computers; serial
Signal Words	To begin with; take the argument; but the idea…; Also; but while computers…; On the contrary
Step 2	Reading
Purpose	to disprove arguments that computers are unlike brains
Pattern of Organization	comparison&contrast
Tone	critical
Main Idea	Computers are similar to brains despite arguments to the contrary.
Step 3	Summary
지문 요약하기 (Paraphrasing)	Computers are similar to brains despite arguments to the contrary. Critics have said that brains are parallel while computers are serial. However, modern computers are becoming more and more parallel through hardware development. Secondly, the argument that brains are analog while and computers are digital is inaccurate because computers have been at times analog and brains might be digital to a degree. Finally, computers not showing emotions does not mean emotions are not generated through computation, as neural systems are similar to computers.
Step 4	Recite
요약문 말로 설명하기	

모범답안 Japanese researchers found that apes had memory and would anticipate key locational content and the use of relevant items in events that were shown to them before. Second, their method is different (from previous method) in that they used short movies as a memory cue unlike the previous experiment which used "hidden food".

채점기준

+2점 : 일본 학자들이 발견한 것이 "apes not only have memories of specific events but also that they're tracking some of the emotions associated with those events"이라고 명확하게 서술하였거나 유사하였다.

》 "apes remember major events in movies, even on a single viewing"이라 했어도 맞는 것으로 한다.

+2점 : 일본 학자들의 방법론이 전에 있었던 연구 방법(음식을 가지고 했던) 과의 차이가 일본 학자들이 기억 테스트로써 "영화"를 사용한 것에 있다고 서술하였다.

》 이전의 연구에 대한 언급이 없이 일본학자들이 영화를 사용한 것이라는 내용만 있으면 1.5점을 준다.

한글 번역   우리는 모두 때로로 정말로 다시 보고 싶은 가장 좋아하는 영화의 순간을 가지고 있다. 침팬지와 보노보 역시, 그들이 이전에 봤던 영화에 나오는 아주 신나는 장면을 회상하고 그 장면들이 언제 나타날지 기대하는 지성을 가지고 있다. 유인원은 중대한 최근 사건들을 단지 한 번 봄으로써, 그 사건들을 쉽게 기억하고 기대할 수 있다. 기억력 테스트로 숨겨진 음식을 사용하는 대신, 일본 연구자들은 짧은 영화들을 만들고 이틀 연속 유인원들에게 그 영화들을 보여주었다.

카노와 그의 동료 사토시 히라타는 두 단편 영화를 제작하고 주연을 맡았다. 또 다른 등장인물은 유인원처럼 킹콩 의상을 차려입은 인간들에 대한 공격을 계속하며, 첫 번째 영화에서 주요 줄거리 순간을 제공한 인간이었다. 두 영화는 모두 기억할만한 극적인 사건을 포함하도록 설계되었고, 연구자들은 동물들이 이러한 순간들을 먼저 알아차리고 기억하는지를 보기 위해 레이저 시선 추적 기술을 배치하였다.

연구자들은 공격성을 포함한 감정이 북받치는 장면을 상연하는 것이 그 동물들이 기억의 어떤 낌새라도 알아내는 것을 도와줄 것이라고 희망했다. 30초 길이의 두 영화 중 첫 번째 영화에서, 유인원 캐릭터가 오른쪽의 문을 통해 불쑥 들어와서—둘 중 하나는 스크린을 통해 보인다—18초에 두 사람 중 한 명을 공격한다.

여섯 침팬지와 여섯 보노보의 시선을 추적하는 것을 통해 연구원들은 두 번째 시청에서 동물들이 유인원이 들어오기 약 3초 전쯤 먼저 오른쪽의 출입구를 본 것을 발견하였고, 이것은 장소적 내용의 회상을 입증한다. 두 번째 영화는 그 연구원들에게 유인원들이 어떤 물건이 줄거리와 관련되었는지 역시 기억할 수 있다는 것을 보여주었다.

첫 번째 상영에서 인간 캐릭터는 24초에 유인원에 보복 공격을 개시하기 위해 인접한 두 가지 무기 중 하나를 골랐다. 교묘하게 두 번째 상영은 두 무기의 위치를 바꾼 미묘하게 다른 버전을 사용했다. 동물들은 그들의 예상에서 나오는 시선을 첫 번째 상영에서 무기가 있었던 곳이 아니라, 첫 번째 상영에서 사용된 무기에 집중시킴으로써, 이 동물들이 무엇이 사용될 것인지 알았으며 비록 무기가 다른 장소에 있더라도, 그 캐릭터가 그 무기를 다시 고를 것이라는 동물들의 기대를 입증하였다.

NOTE

Step 1	Survey
Key Words	movies; apes
Signal Words	in the first screening
Step 2	Reading
Purpose	to show how apes were proven to recall and anticipate events in films
Pattern of Organization	series
Tone	neutral
Main Idea	Apes are shown to recall and anticipate events they have seen before on films.
Step 3	Summary
지문 요약하기 (Paraphrasing)	Apes are shown to recall and anticipate events they have seen before on films. Researchers made films to test apes along with eye-tracking technology to test if they would notice and remember moments. In the films there were emotionally-charged attack scenes. The animals on second viewing would look toward key parts of the screen anticipating action. Likewise, the apes would notice changes on a slightly-changed film, noticing when a weapon used in an attack was moved.
Step 4	Recite
요약문 말로 설명하기	

모범답안 The word is "hostility". Second, the two opinions on the war are, first, the German people are inherently evil and, second, it was caused by international relations and (nationalistic) ambition. The writer instead believes that war derives from universal human "impulses" not unique to Germany but accentuated by the society of that time.

채점기준

+2점 : 전쟁에 대한 (일반인들의) 통속적인 생각이 첫째는 전쟁이 일어나는 것은 "독일인이 사악하기" 때문이라는 것, 둘째는 "외교적인 분규와 각국 정부의 야심에서 비롯한 것"이라고 명확하게 서술하였다.

+2점 : 위의 통속적인 견해에 대해 저자가 거부하는 이유는 그런 통념과는 다르게 "전쟁은 평범한 인간의 본성에서 비롯한 것"이라고 저자가 보았기 때문이라 서술하였다.

감점 >>>

• 문법적으로 2–3개의 오류 0.5점 감점
• 표현상으로 2–3개의 오류 0.5점 감점
• 문법적으로 4개 이상의 오류 1점 감점
• 표현상으로 4개 이상의 오류 1점 감점
• 첫 번째 답안을 본문에서 6단어 이상을 연속으로 인용하였다면 0.3점 감점
• 두 번째 답안을 본문에서 6단어 이상을 연속으로 인용하였다면 0.3점 감점

한글 번역   전쟁은 불가피한 것이라는 신념 체계 밖에 서 있는 사람은 고립감, 즉 보편적인 행동을 마다할 때 겪어야 하는 고통스러운 고립감을 피해갈 수 없다. 보편적인 재앙이 깊은 공감을 불러일으키는 지금과 같은 상황에서는 공감 그 자체가 전 세계를 휩쓸고 있는 자멸의 충동에 대한 무관심을 강요한다. 급하게 죄어치며 다가오는 파멸로부터 사람들을 지키고자 하는 무력한 열망을 가진 인간은 시대적인 경향에 반대하다가 적의 어린 시선과 비정한 인간이라는 평가에 시달리게 되고 결국에는 강력한 신념의 힘을 잃어버릴 수밖에 없다. 그러나 다른 사람들이 적의를 품는 것을 막지는 못한다 해도 자신이 느끼는 적의는 상상력에 의지한 이해심과 동정심을 통해 충분히 막을 수 있다. 이런 이해심과 동정심 없이 세계를 재앙으로부터 건져낼 방법을 찾는 것은 불가능하다.

　내가 도저히 받아들일 수 없는 두 가지 전쟁관이 있다. 그중 하나는 흔히 볼 수 있는 것으로 독일인의 사악함이 전쟁의 원인이라는 입장이다. 다른 하나는 대부분의 반전론자가 그렇듯이 전쟁은 외교적인 분규와 각국 정부의 공명심에서 비롯한 것이라고 보는 입장이다. 이런 입장에 묶여 있으면 전쟁은 평범한 인간의 본성에서 비롯한 것이라는 깨달음에 이를 수 없다. 독일인과 각국 정부 인사들은 대개 평범한 사람들이다. 그들은 일반인과 똑같은 감정에 따라서 행동하며 저마다 다른 상황에 처해 있기는 하지만 다른 나라 사람들과 크게 다른 점이 없다. 독일인이 아닌 사람, 그리고 외교에 종사하지 않는 사람도 부적절하고 부정한 동기에 의해 전쟁을 기꺼이 묵인하고 받아들인다. 이것은 다른 나라 혹은 다른 계급 내에 전쟁에 대한 강한 반감이 일반화되어 있다면 결코 발생할 수 없는 일이다. 사람들이 옳지 않은 것들을 신뢰하고 옳은 것들을 의심하는 것은 그들이 지닌 충동을 드러내는 지표이다. 사람들의 소신은 전염성이 있으므로 여기서 말하는 충동은 개인적인 충동에만 국한되지 않으며 공동체의 보편적인 충동 역시 포함한다.

Step 1	Survey
Key Words	war; human nature; impulse
Signal Words	not clear
Step 2	**Reading**
Purpose	to explain the causes for war
Pattern of Organization	cause&effect; series
Tone	critical
Main Idea	War comes from the community impulses within human nature.
Step 3	**Summary**
지문 요약하기 (Paraphrasing)	War comes from the community impulses within human nature. Those who oppose war experience isolation from general people and they should maintain emotional distance and imaginative sympathy as community impulses drive towards acceptance of war. Inaccurately, some have cited the wickedness of Germans or diplomatic tangles and ambitions as the cause for the war, instead of the fundamental truth of human nature following community impulses.
Step 4	**Recite**

요약문 말로 설명하기

04 하위내용영역 일반영어 B형 서술형   배점 4점   예상정답률 50%   본책 p.192

모범답안 Most jazz musicians solidify their playing style early in life as opposed to Miles Davis who continually changed his style. Second, the writer does not accept the purists' argument in that the argument just reveals more about their narrow tastes.

채점기준

⁺2점 : 마일즈 데이비스와 대다수 재즈 음악가들의 차이가 "most jazz musicians solidify their playing style early in life as opposed to Miles Davis who continually changed his style"이라 명확하게 서술하였거나 유사하게 서술하였다.

⁺2점 : 순수주의자들의 주장—이 시기가 데이비스가 최고의 성취를 이룬 시기였다—에 대해 저자는 "동의하지 않는"데 이유는 "그들의 주장 자체가 (예술적 판단에 대한) 그들의 속 좁음을 드러내는 것일 뿐"이라고 명확하게 서술하였거나 유사하게 서술하였다.

감점 〉〉〉

• 문법적으로 2–3개의 오류 0.5점 감점
• 표현상으로 2–3개의 오류 0.5점 감점
• 문법적으로 4개 이상의 오류 1점 감점
• 표현상으로 4개 이상의 오류 1점 감점
• 두 번째 답안을 15–25자 사이로 쓰지 않았다면 0.3점 감점

한글 번역 마일즈 데이비스는 재즈에서 변화무쌍한 인물이다; 마치 음악의 피카소처럼, 자기는 그의 커리어 과정 동안 일련의 스타일들을 숙달하고 나서 버렸다. 이것은 어느 예술가에게서도 드물지만, 음악가의 스타일이 보통 극도로 일찍 형성되고, 그러고 나면 그 혹은 그녀의 남은 일생 동안 정제되고 반복되는 재즈의 세계에서는 거의 들어본 적 없는 것이다. 비록 데이비스는 1950년대에 그를 처음으로 유명하게 만들어 준 음악을 계속해서 연주함으로써 수백만을 벌어들일 수도 있었지만, 그는 자기 자신을 반복하기를 거부했다. 그는 젊고 이제 막 떠오르는 음악가들과 함께 일하고, 쉴 새 없이 새로운 소리를 찾으면서, 꾸준히 그의 음악적 지평선을 넓히기를 갈구했다.

그가 1940년대의 비밥 재즈로 첫 경험을 한 이후, 데이비스는 '쿠커'스타일을 개발하고 5인 캄보와 함께 그의 이름을 알렸다. 소위 말하는 '순수주의자들'은 이 시기가 데이비스의 성취의 정점을 나타낸다고 종종 주장해왔다. 그러나 이 주장은 마일즈 데이비스의 이른바 한계라는 것에 대해서 보다는 어떤 비평가들의 좁은 취향에 대해 더욱더 드러낸다. 데이비스가 1960년대에 이끈 그룹은 웨인 쇼터나 허비 핸콕과 같은 새로운 세대의 최고의 음악가들을 포함했으며, 새롭고 복잡한 리듬의 조화를 탐험하는 음악을 만들었다.

그러나 비평가들은 계속해서 불평했다. 그리고 데이비스가 1970년에 'Bitches Brew'를 발매했을 때, 재즈 '순수주의자'들은 충격에 빠졌다 : 그의 밴드는 전자 악기를 사용하고 있었으며, 그 음악은 록의 리듬과 '애시드' 록의 사이키델릭한 소리를 심하게 차용하고 있었다. 일반적으로, 데이비스는 자신의 예술적 비전에 확고하여, 폭풍 같은 항의를 무시했다. 1907년대 초반 동안, 그는 계속해서 그의 편에 최고의 새로운 연주자들을 끌어들였다. 그 연주자들은 그의 방대한 경험과 숙달로부터 혜택을 입었고, 그는 그 연주자들의 젊은 에너지와 음악에 대한 신선한 접근으로부터 득을 보았다.

NOTE

Step 1	Survey
Key Words	Miles Davis; jazz; styles; musicians; critics
Signal Words	in the 1950s; After cutting his teeth…; in the 1950s; in the 1960s; Yet critics…; Throught the early 1970s
Step 2	**Reading**
Purpose	to show the evolution of Mile Davis musical career over time
Pattern of Organization	series; time order
Tone	persuasive
Main Idea	Miles Davis evolved through many influential styles and periods through his jazz career.
Step 3	**Summary**
지문 요약하기 (Paraphrasing)	Miles Davis evolved through many influential styles and periods through his jazz career. In the 1950s he developed a "cooker" style that made him famous and was beloved by some and into the 1960s brought in new musicians and textures. Later, in defiance of criticism he brought in electronic instruments, music borrowed from rock and "acid" rock and new players. Continuing to attract the best new players, he exchanged his experience and mastery for their energy and fresh approach.
Step 4	**Recite**

요약문 말로 설명하기

05 하위내용영역 일반영어 A형 서술형 　배점 4점 　예상정답률 45% 　　　　　　　　　　　본책 p.194

모범답안 The word for the blank is "relationship". Second, the circumstances necessary for confusion are when the relationships between the two confused people are similar.

채점기준
• 4점 : 모범답안과 같거나 유사하였다.
• 2점 : 둘 중 하나만 맞았다.
• 0점 : 모범답안과 다르다.

어휘

conference 회의, 회담
momentarily 잠시
retrieval 회복, 복구, 만회

contextual 전후관계상의, 문맥상의
positivity 명백성, 긍정성

한글 번역 　당신은 얼마나 자주 어떤 이에게 잘못된 이름이나 호칭을 불러본 적이 있는가? 아마도 당신은 선생님과 대화 중에 우연히 그를 '아빠'라고 불러본 적이 있을 것이다. 우리는 모두 이런 실수를 하며, 그리고 그런 실수 중 일부로 인해 심각한 문제에 빠진다! 연구에 따르면 우리는 우리와 비슷한 관계에 있는 두 사람을 혼동하는 경향이 있다. 당신이 선생님을 '아빠'라고 부르는 것은 두 사람 모두 권위를 가진 성인 남자이기 때문이라고 설명할 수 있다. 이것은 또한 다른 일상적인 실수를 설명할 수 있는데 남자 친구나 여자 친구를 이전의 남자 친구나 여자 친구 이름으로 부르는 경우이다. 어떤 사람과의 의지적이고 친밀한 관계를 다른 사람과의 의지적이고 따뜻하고 친밀한 관계와 순간적으로 혼동하는 것이다. 이와 대조적으로, 매우 다른 형태의 관계에서는 거의 실수를 하지 않는다. 예를 들면, 당신이 교수와 지적인 열띤 논쟁을 하고 있는데 과거에 당신과 전 남자 친구의 관계가 주로 그런 격렬한 논쟁으로 이루어지지 않았다면, 당신은 교수에게 당신의 전 남자 친구의 이름을 (실수로) 부르지는 않을 것 같다. 위의 연구 결과는 우리가 다른 사람들에 대해 가지고 있는 인식과 사회적 관계의 인지구조는 그러한 특정한 개인들에 관해서 뿐만 아니라 그들과의 사회적 관계의 본질에 관해 기억 속에 조직화되어 있음을 보여준다.

NOTE

Step 1	Survey
Key Words	name; social relationship
Signal Words	why; because; in contrast; different
Step 2	Reading
Purpose	to explain why we sometimes call someone by the wrong name
Pattern of Organization	cause&effect; comparison&contrast
Tone	neutral
Main Idea	Sometimes we call someone by the wrong name because our relationship is similar to one we have with someone else.
Step 3	Summary
지문 요약하기 (Paraphrasing)	Sometimes we call someone by the wrong name because our relationship with that person is similar to one we have with someone else. We might call a new boyfriend or girlfriend by the name of a someone we used to date, but we are unlikely to address a professor by a friend's name. This shows that our memory of people is organized both by specific individuals and by relationships.
Step 4	Recite
	요약문 말로 설명하기

06 하위내용영역 일반영어 A형 서술형　배점 4점　예상정답률 45%　　　본책 p.196

모범답안 The most appropriate word to fill in the blank is "disease"(or pathogens). The first settlers thought of Bighorn as symbols of rugged wilderness due to their capacity to adapt to harsh and barren terrain.

채점기준
- 4점 : 모범답안과 같거나 유사하였다.
- 2.5점 : 둘 중 서술형 문제만 맞았다.
- 1.5점 : 둘 중 기입형(빈칸형) 문제만 맞았다.
- 0점 : 모범답안과 다르다.

어휘

cavort 뛰어다니다, 흥청대다
pathogen 병원
take a hold 사로잡다, 장악하다

embrace 받아들이다, 수용하다
pneumonia 폐렴
steep 가파른, 까다로운

한글 번역　빅혼(큰뿔양)은 약 100,000년 전 베링육교(현재의 베링 해협 부근에 상부 플라이스토세 빙기에 육지화되어있던 지역)를 건너 북미로 온 시베리아 야생 양의 후손이다. 이 무리는 현지의 거주지에 적응하고 다양화되어 남쪽으로 퍼져 나갔다. 빅혼은 다른 종들이 견뎌낼 수 없는 가파르고 황량한 지역에 서식한다. 그들의 인내력 덕택에 빅혼은 오랫동안 상징적인 종이 되어 왔다. 초기 북미 원주민들은 바위 위에 빅혼과 유사한 것들을 새겨 놓았고, 초기 정착민들은 그들을 바위투성이의 미국 서부 황야의 상징으로 삼았다. 절정기에는 2백만 마리 이상의 빅혼들이 캘리포니아에서 네브래스카까지 돌로 덮인 비탈을 우아하게 뛰어다니면서 서부를 배회했다. 그러나 19세기 말에 빅혼은 위기를 겪게 되었다. 가축용 양 산업이 서부를 장악하게 되었고 야생 양은 유럽의 가축에 의해 들어온 질병에 저항할 면역력이 전혀 없었다. 수백만 마리의 가축용 양이 그 지역에 몰려들자 폐렴과 같은 치명적인 병원균으로 인해 빅혼이 대량으로 죽게 되었다. 규제받지 않는 사냥이 얼마 남지 않은 빅혼 무리에게 큰 타격을 주었다. 1940년에는 이미 빅혼의 개체 수가 20,000마리가 채 안되게 급락했고, 서부 전역에 흩어져 있는 매우 작은 고립된 장소에 살게 되었다. 최근 수십 년 동안 주 야생동물 관리국들은 벼랑 끝에 몰린 빅혼을 다시 소생시키기 위해 광범위한 보존 노력을 기울였다. 그중 많은 노력이 빅혼 무리를 포획해서 다른 지역으로 재배치하는 것에 중점을 두고 있다. 빅혼들은 헬리콥터 아래에 달린 자루에 싸여 취급지역으로 이송되고 거기서 수의사들이 질병의 징후가 있는지 검사한다. 만약 그들이 건강하다면 새로운 거주지로 이동된다. 지금까지 2,000마리가 넘는 양들이 성공적으로 이송되었다. 이런 형태의 광범위한 보존 노력이 네바다의 빅혼의 개체 수를 늘리는 데 도움을 주었고 20세기 중반에 낮게는 2,000마리 정도였던 개체 수가 11,000마리 이상이 되었다.

NOTE

02

Step 1	Survey
Key Words	bighorns; conservation work; pathogens
Signal Words	100,000 years ago; At their peak; by the late 19th century; By 1940; in recent decades; in the mid-20th century
Step 2	Reading
Purpose	to illustrate the decimation and conservation of Bighorn sheep
Pattern of Organization	time order
Tone	neutral
Main Idea	The population of wild bighorn sheep was greatly reduced because of the introduction of domestic sheep, but conservation efforts to save them are underway.
Step 3	Summary
지문 요약하기 (Paraphrasing)	Bighorn sheep were hardy and adapted to habitats all across the western parts of North America. At their peak, there were more than two million of them, but with the introduction of domestic sheep from Europe, they succumbed to many diseases against which they had no immunity. Unregulated hunting also killed many of them. By 1940, there were only about 20,000 left, but recent conservation efforts are saving them from extinction.
Step 4	Recite
	요약문 말로 설명하기

모범답안 The two words are "central dogma". Secondly, the comparison used by the writer regarding the protection of status quo is with religion, through a similar use of ostracism.

채점기준

• 4점 : 모범답안과 같거나 유사하였다.
• 2.5점 : 둘 중 서술형 문제만 맞았다.
• 1.5점 : 둘 중 기입형(빈칸형) 문제만 맞았다.
• 0점 : 모범답안과 다르다.

어휘

give rise to 일으키다. 생기게 하다   inertia 불활동, 불활발; 타성
insidious 음험한; (병 등이) 모르는 사이에 진행하는, 잠행성의
obsolete 쓸모없게 된; 진부한, 구식의   ostracism 추방, 배척
the status quo 현재 상황; 구태   seductively 매혹적으로

한글 번역 어떤 사실들은 오로지 DNA 유전자만이 특정 유전 형질을 생겨나게 하는 분자 과정을 관장한다는 중심 원리의 주된 격언과 모순을 이룬다. 대부분의 분자생물학자는 시대에 뒤떨어진 이론에 마음을 빼앗겨 있기 때문에, 생체 과정의 체계를 조심스럽게 살펴보는 경우 DNA가 생명의 비밀이 아님을 충분히 깨달을 수 있음에도 불구하고 그러하다는 가정하에서 연구하고 있다.

그렇다면 왜 중심 원리가 계속해서 자리를 지켜 왔던 것일까? 그 이유는 어느 정도 그 이론이 과학보다는 종교에 공통된 장치를 통해 비판으로부터 보호받아 왔기 때문인데, 그것은 곧 반대 혹은 단순히 일치하지 않는 사실을 발견하는 것도 벌을 받을 만한 죄, 즉 학계로부터 쉽게 추방 받게 될 수도 있는 이단이라는 것이다. 이러한 편견은 상당 부분은 제도적인 타성, 즉 엄정함을 유지하지 못한 탓으로 돌릴 수 있지만, 왜 분자유전학자들이 현 상태에 만족하고 있을지에 대한 다른 숨어있는 이유가 더 많이 있다. 그것은 중심 원리가 그들에게 유전에 대해 대단히 만족스럽고, 매력적일 만큼 단순한 설명을 제공해 왔기 때문이다.

NOTE

Step 1	Survey
Key Words	central dogma; DNA gene; heredity
Signal Words	because of; why, then; to some degree; much of this
Step 2	Reading
Purpose	to question why the dogma that DNA governs molecular processes continues to stand
Pattern of Organization	cause&effect; question&answer
Tone	critical
Main Idea	The central dogma that a DNA gene governs molecular processes in biology has survived because of exclusion of discordant facts, institutional inertia, and geneticists' satisfaction with the dogma's simple explanation of heredity.
Step 3	Summary
지문 요약하기 (Paraphrasing)	The central dogma that a DNA gene governs molecular processes in biology has survived because of exclusion of discordant facts, institutional inertia, and geneticists' satisfaction with the dogma's simple explanation of heredity.
Step 4	Recite
요약문 말로 설명하기	

08　하위내용영역 일반영어 A형 서술형　　배점 4점　　예상정답률 25%

모범답안　The word that the best completes the blank is "cosmic". Next, the "more pragmatic treatment" is one that is less absolute and allows for conjecture and speculation regarding ethical standards and political institutions (as it involves the whole order of things which is beyond human reach).

채점기준

• 4점 : 모범답안과 같거나 유사하였다.
• 2.5점 : 둘 중 서술형 문제만 맞았다.
• 1.5점 : 둘 중 기입형(빈칸형) 문제만 맞았다.
• 0점 : 모범답안과 다르다.

어휘

all-encompassing 모든 것을 아우르는
conjecture 추측, 짐작
metaphysical 형이상학적인
musing 사색; 사색한 것을 말하기
requisite 필수적인; 필요한

backbone 근간, 중추
culminate 절정에 달하다
microcosm 소우주; 축소판
prosaic 평범한; 따분한
sophomoric 아는 체하는; 건방진; 미숙한

한글 번역　플라톤의 초기 저작들, 이른바 소크라테스의 대화편이라고 하는 작품들에서는 미덕과 인간의 선에 대한 탐구가 인간적 영역을 초월하고 있음을 전혀 보여주고 있지 않다. 이러한 상황은 플라톤의 중기 대화편에서 모든 것을 아우르는 지식의 형이상학적 토대에 대한 관심이 커지면서 변화하게 된다. 이로 인해 '형상'을 인식하게 되는데, 이것은 모든 선의 초월적 원리로서의 '선의 형상'의 절정에 도달하게 되는 모든 존재의 참된 본질이다. 도덕적 가치관은 철저한 과학적 훈련을 받은 지도자들에 의해서만 유지될 수 있는 적절한 정치적 질서의 기반 위에 정립되어야 한다. 형상 이론이 인간적 가치관에만 한정된 것이 아니라, 존재하는 모든 것들의 본질을 포함하긴 하지만, 플라톤은 이 시점에서는 인간사와 우주적 조화 간의 유사성만을 전제로 하는 것으로 보인다. 이와는 대조적으로, 후기 대화편에서는 인간의 삶이라는 소우주와 전체 우주의 질서 사이에 존재하는 통일성을 바라보는 경향이 점점 커지는 것을 볼 수 있다. 그러한 전체론적 경향은 필수적인 지식의 성취를 인간의 영역 너머에 두는 것처럼 보인다. 플라톤의 후기 저작들에서 인간의 영역을 넘는 것으로써 지식의 기준을 낮추려는 의지는 전혀 보이지 않지만, 그가 우주적 질서를 논할 때는 추측과 짐작의 여지를 남겨놓고 있어서 윤리적 기준과 정치제도에 대해 좀 더 실용적인 접근을 하고 있음을 반영하고 있다.

NOTE

Step 1	Survey
Key Words	Plato; virtue; human good; ethics; metaphysical; transcendent
Signal Words	in early works; middle; the late dialogues
Step 2	Reading
Purpose	to show how Plato's philosophy developed over time
Pattern of Organization	time order
Tone	neutral
Main Idea	Plato's philosophy evolved from staying within the human realm in his early works, to seeing a unity between human life and the universe, and finally to a pragmatic view.
Step 3	Summary
지문 요약하기 (Paraphrasing)	Plato's early works focus on the search for good within the human realm. Somewhat later, he shows an interest in metaphysical, transcendent principles. Finally, in the latest dialogues, he takes a more pragmatic view of ethics and politics, yet without lowering his standards of knowledge.
Step 4	Recite

요약문 말로 설명하기

09 하위내용영역 일반영어 A형 서술형　배점 4점　예상정답률 55%　　　　본책 p.202

모범답안 The word that best fits the blank is "moral". Next, the author does not believe in the views of Freud and Jung because they seem to describe individuals as powerless over their own actions, like the classic idea of predestination.

채점기준
- 4점: 모범답안과 같거나 유사하였다.
- 2점: 둘 중 서술형 문제만 맞았다.
- 2점: 둘 중 기입형(빈칸형) 문제만 맞았다.
- 0점: 모범답안과 다르다.

어휘

dazzling 눈부신
gland 선(腺), 샘
individualist 개인주의자
unrelieved 짙은; 변함없이 계속되는

doctrine 교의; 주의, 신조
incompetence 무능력
predestination (운명)예정설, 숙명

한글 번역　20세기 중반 이래로, 행동과 도덕의 상대성에 중요한 변화가 일어났다. 그 이전에는, 사람들은 '선'과 '악' 사이에 간격이 존재하며, 전자는 눈부신 흰색으로, 후자는 짙은 검은색으로 칠해져 있다는 데 대해서 거의 의심을 하지 않았다. 하지만 프로이드와 융 그리고 그들의 제자들이 그 모든 것을 바꿔 놓았다. 이제 우리는 사람이 하는 그 어떤 것도 사실은 그의 잘못이 아니며, 부모의 무능 혹은 미발달된 기회와 선에서 파생된 억압과 금지 때문이라는 것을 알게 되었다.

　그러나 아직도 나처럼 이러한 정신분석적인 설명을 상당한 불신을 갖고 바라보는 시대에 뒤진 사람들도 있다. 신념적으로 개인주의자인 나는 개인이 자신의 행동에 책임이 있는 것으로 간주하며, 정신분석학자들의 가르침에 의해 주입된 도덕적 책임의 상대성이 내게는 오래된 예정설만큼 침울하고 비관적으로 보인다.

02

NOTE ▶

Step 1	Survey
Key Words	relativity of conduct and morals; pyschoanalysis
Signal Words	however
Step 2	Reading
Purpose	to show disagreement with the 20th-century psychoanalysts' belief in the relativity of moral responsibility
Pattern of Organization	not clear
Tone	critical
Main Idea	Although the psychoanalysts of the 20th century asserted that moral responsibility was relative, the writer finds this teaching depressing and believes in personal responsibility.
Step 3	Summary
지문 요약하기 (Paraphrasing)	In the 20th century, psychoanalysts, such as Freud and Jung, assigned moral responsibility to parental upbringing, repressed tendencies, and hormones, but the writer of this piece is an individualist who finds this teaching depressing and believes in personal responsibility.
Step 4	Recite
	요약문 말로 설명하기

10　하위내용영역 일반영어 A형 서술형　배점 4점　예상정답률 45%　본책 p.204

모범답안 The public regarded the Civil War first through painting, and then through photography and illustration. For studies into the personal effects of war, the most helpful imagery was that of painting.

채점기준
- 4점 : 모범답안과 같거나 유사하였다.
- 2점 : 둘 중 하나만 맞았다.
- 0점 : 모범답안과 다르다.

어휘

be well on the[one's] way to ~을 거의 다 해[이루어] 가다
commemorate 기념하다, 축하하다
engraving 조각(술); 판화
interpretation 해석, 설명; 연출
memorialization 기념함; 건의함
pioneer (새 분야를) 개척하다
renown 명성
skirmish 사소한 충돌, 승강이, 작은 접전[언쟁]
sweep (문명 등의 급속한) 진보, 발전; (사상·글 등의) 범위
woodcut 목판화

consequential 결과로서 일어나는; 당연한, 필연적인; 중대한
flourish 번창하다, 번성하다; (문화·학문 등이) 꽃피다
latitude (견해·사상·행동 등의) 허용 범위[폭], 자유
pictorial 그림의; 그림으로 나타낸; 그림 같은
practitioner (기술을 요하는 일을) 정기적으로 하는 사람, 현역
resultant 결과로서 생기는, 그에 따른
strain 긴장; 피로, 피곤

한글 번역　남북전쟁은 미국미술에 있어 일종의 분수령을 나타낸다. 폭동이 시작되던 때에는, 전쟁 미술 뿐 아니라 일반 회화에서도 낭만적인 이미지가 여전히 두드러지는 특징이었다. 하지만 전쟁 기간 동안 사진 촬영술과 삽화가 실린 잡지들이 등장해서 더욱 사실적인 전쟁 이미지들을 낮은 가격으로 대중에게 선보이게 되었다. 특히 하퍼와 프랭크 레슬리의 화보 신문과 같은 잡지에 실린 대량 생산된 목판화들이 그림과 스케치를 많은 독자들에게 전했다. 삽화가 실린 잡지들이 남북전쟁 기간에 번창할 동안, 사진 촬영술은 여전히 초창기에 있었다. 섬터 요새에 대한 포격이 있기 불과 몇 년 전에 발발했던 크림 전쟁 기간 동안 영국 사람인 로저 팬튼이 전쟁 사진 분야를 개척했다. 남북전쟁 기간 동안 몇몇 현역 사진가들이 종군했는데, 그중에는 아마도 모든 미국 사진가 중 제일 유명한 매슈 브래디가 가장 잘 알려져 있었다. 19세기 말에, 사진은 이미 손으로 그린 그림을 대신해 기본적인 전쟁 화보 기록으로 거의 자리 잡고 있었다. 전쟁 사진의 출현은 화가들에게 주제의 선택과 연출에 더 많은 자유를 허용해 주었다. 그들은 더이상 중대한 사건들을 기념하는 그림을 그리도록 강요받지 않게 되었으며, 대신에 병영 생활과 익숙하지 않은 작은 교전들에 대한 서사적인(이야기식의) 그림을 그리기 시작했다. 그러나 주요 사건 기념 그림으로부터의 전환이 전쟁 미술이 덜 중요하게 된 것을 의미하는 것은 아니었다. 주요 사건들을 모조리 묘사해야 할 필요가 없게 되어, 예술가들은 전장 생활에서의 감정과 긴장감을 더 깊이 탐구할 수 있었다. 그 결과로 생긴 서사적인 그림은 묘사된 사건들의 명성에서 그 의의를 끌어내는 것이 아니라 전쟁을 치르는 병사들에 대해 그림이 말하는 내용에서 그 의의를 도출해 내었다.

NOTE

Step 1	Survey
Key Words	photography; illustrated journalism; interpretation
Signal Words	at the beginning; During the war; during the Civil War; By the end of the century
Step 2	Reading
Purpose	to explain the emergence of photography for recording the events of war and the effect this change had on military art
Pattern of Organization	time order
Tone	neutral
Main Idea	The emergence of photography as the main pictorial record of war freed artists to do narrative painting that portrayed the emotions and strains of military life.
Step 3	Summary
지문 요약하기 (Paraphrasing)	During the U.S. Civil War, photography began to replace hand-drawn art as a means of recording military events. By the end of the 19th century, photography had become the main medium for portraying such events journalistically. Painters of military art were now free to do narrative interpretations of combat life.
Step 4	Recite
	요약문 말로 설명하기

11 하위내용영역 일반영어 A형 서술형   배점 3점   예상정답률 30%   본책 p.206

모범답안 Christians, like Jews, could only loan within their own ranks if the loan was without interest, or "usury", because to do so was labeled a sin.

채점기준
• 3점 : 모범답안과 같거나 유사하였다.
• 0점 : 모범답안과 다르다.

어휘

commercial credit 상업 신용(은행이 기업에 제공하는 신용대출)
cramped 비좁은, 답답한   Deuteronomy 신명기(申命記) (구약 성서 중의 한 책)
do business 장사하다   ethnic minority 소수 민족 집단
excommunicate (특히 가톨릭교에서) 파문[제명]하다   get-out (특히 책임·의무를) 회피할 방법
ghetto (특정 사회 집단의) 거주지   iron foundry 주물 공장
loan shark 고리대금업자, 악덕 사채업자   mayest may의 직설법 2인칭 단수 현재형
pound of flesh 터무니없는 요구, (빚 따위를) 가혹하게 받아내기
testament 성서   usury 고리대금

한글 번역   셰익스피어의 희곡 "베니스의 상인"에 나오는 유대인 고리대금업자인 샤일록은 왜 안토니오가 채무변제 의무를 다할 수 없으면 말 그대로 1파운드의 살덩이—사실상, 안토니오의 죽음—를 요구하는 그런 악당인 것으로 판명되는가? 정답은 샤일록이 민족적 소수집단에 속했던 역사상의 많은 고리대금업자 중 한 명이라는 것이다. 셰익스피어가 활동하던 때에 유대인들은 이미 거의 한 세기 동안 베니스에서 신용대출업을 해오고 있었다. 그들은 베니스의 중심부에서 조금 떨어진 곳의 비좁은 유대인 거주 지역에 있는 방코 로쏘(Banco Rosso, 16세기 유대인들의 전당포)로 알려진 건물 앞에서 사업을 했다. 베니스의 상인들이 대출을 받으려면 유대인 거주 지역에 와야 했던 타당한 이유가 있었다. 기독교인들에게 있어 고리대금은 죄악이었다. 1179년 제3차 라테란 공의회에서 고리대금업자들은 파문을 당했었다. 유대인들 또한 이자를 받고 돈을 빌려줘서는 안 되도록 돼 있었다. 하지만 구약성서의 신명기에는 편리하게 이를 회피할 한 구절이 있다 : "이방인에게 네가 돈을 빌려주면 이자를 받아도 되거니와, 네 형제에게 돈을 빌려주거든 이자를 받지 말라." 다른 말로 하면, 유대인은 다른 유대인에게는 합법적으로 돈을 빌려줄 수 없지만, 기독교인에게는 합법적으로 돈을 빌려줄 수 있었던 것이다. 그렇게 하는 것의 대가는 사회적으로 배척을 당하는 것이었다. 1516년에 베니스 당국은 게토 누보(게토는 문자 그대로 주물을 의미한다)로 알려진 오래된 주물 공장 부지에 유대인들을 위한 특정 구역을 지정했다. 그들은 매일 밤 그리고 기독교인들의 명절에 그곳에 갇히게 되었다.

Step 1	Survey
Key Words	loan shark; villain; ethnic minority; usury; excommunicated
Signal Words	why; the answer; why
Step 2	Reading
Purpose	to explain why Jews worked as money lenders in past centuries
Pattern of Organization	cause&effect
Tone	neutral
Main Idea	The practice of loaning commercial credit by Jews led to them being ostracized and depicted as villains.
Step 3	Summary
지문 요약하기 (Paraphrasing)	Why was Shakespeare's villain Shylock portrayed as a Jewish moneylender? In centuries past, Christians would be excommunicated if they practiced usury, so ethnic minorities, mostly Jewish people, worked as moneylenders. In 1516, the government of Venice designated a special part of town, called a ghetto, where the Jewish moneylenders were allowed to operate. The practice of loaning commercial credit by Jews led to them being ostracized and depicted as villains.
Step 4	Recite
	요약문 말로 설명하기

모범답안 The key evidence (scholars need to gather) comes from human burials (containing human remains). Second, the problems that have occurred with gathering this evidence so far in America are that fewer human burials have been found, those that were found had been carelessly excavated, disturbances had damaged the original layers of earth, and many sites contained no human remains.

채점기준

· 4점 : 모범답안과 같거나 유사하였다.
· 2점 : 둘 중 하나만 맞았다.
· 0점 : 모범답안과 다르다.

어휘

archaeologist 고고학자	devastating 대단히 파괴적인
Eurasia 유라시아(유럽과 아시아를 합쳐 하나의 대륙으로 보았을 경우의 명칭)	
extended 장기간에 걸친	glimpse 잠깐 봄; 짧은 경험
grant 부여하다	
Homo sapiens sapiens 호모 사피엔스 사피엔스, 신인류(후기 구석기시대 이후 현대에 이르는 인류)	
intact 온전한, 손상되지 않은	
land bridge 육교, 지협(두 개의 육지를 연결하는 좁고 잘록한 땅)	
landmass 대륙, 광대한 육지	remains 유해; 유골, 유물
tip 끝	usher in 예고하다; (시대 등의) 도래를 알리다

한글 번역   '호모 사피엔스 사피엔스'는 다른 대륙에 도착한 것보다 훨씬 늦은 시기에 아메리카 대륙에 도착했다. 서반구에서 확인된 최초의 인간 거주는 기원전 약 10,500년으로 거슬러 올라가는데, 이때는 유라시아 대륙과 오스트레일리아 대륙에 정착한 지 약 4만 년이 지난 이후이다. 따라서 아메리카 대륙에 현재까지 발견된 모든 유물들은 '호모 사피엔스' 종(種)의 것이었다. 그러나 다른 대륙들에 대해 우리가 아는 것보다 아메리카 대륙의 정착에 관해 아는 것은 훨씬 더 적다. 학자들은 초기의 이주자들이 어떤 길을 택했는지, 언제 아메리카 대륙으로 건너갔는지, 그리고 이들이 육로로 갔는지, 바다를 통해 갔는지에 대해 확신하지 못한다. 아메리카 대륙에서는 훨씬 더 적은 수의 인간 매장지가 발견되어왔으며, 발견된 극소수의 매장지는 유라시아 대륙과 아프리카 대륙보다 과학적인 관리를 덜 된 채 발굴되었다. 많은 유적지가 훼손되어서 고고학자들에게 너무나 귀중한 원래의 지층들은 더이상 온전하지 않다. 많은 초기의 유적지들에는 인간의 유물이 전혀 들어있지 않다. 한 가지 설명은 인간이 시베리아에서 지협을 통해 아메리카 대륙에 도착했다는 것이다. 베링기아는 지금은 바다 밑에 있는 육지로, 러시아 시베리아의 끝과 알래스카의 북동쪽 모서리를 연결했던 땅덩어리이다. 오늘날 베링기아는 너비 80km의 베링해로 덮여 있다. 베링해 중에서 베링기아가 있는 부분의 물은 수심이 얕다. 지구가 빙하기라 불리는 장기간에 걸친 추운 기간을 여러 번 겪었을 때, 바닷물은 얼어붙었고 베링기아의 북동쪽 땅은 얼음으로 뒤덮였다. 빙하기 동안 해수면은 내려갔고, 고대 베링기아 땅이(바다 위로) 모습을 드러내어 러시아와 아메리카 대륙 사이의 지협을 형성했다.

NOTE

Step 1	Survey
Key Words	human occupation; human remains; settlement, archaeologists
Signal Words	we know; however; one theory is that
Step 2	Reading
Purpose	to illustrate the limited understanding and theories regarding the arrival of humans to the Americas
Pattern of Organization	series; cause&effect
Tone	neutral
Main Idea	The arrival of humans to the Americas is not yet well understood by archaeologists due to limited evidence.
Step 3	Summary
지문 요약하기 (Paraphrasing)	The arrival of humans to the Americas is not yet well understood by archaeologists due to limited evidence. We know that human beings reached the Americas much later than other parts of the world, but we are not certain about how they arrived. One theory is that they crossed a land bridge that emerged during the Ice Ages, connecting Siberia and Alaska.
Step 4	Recite
요약문 말로 설명하기	

모범답안 The best word for the blank is "linguistic". The standards teachers have that are not explicitly outlined are those regarding language use.

채점기준
- 4점 : 모범답안과 같거나 유사하였다.
- 2.5점 : 둘 중 서술형 문제만 맞았다.
- 1.5점 : 둘 중 기입형(빈칸형) 문제만 맞았다.
- 0점 : 모범답안과 다르다.

어휘

admonition 책망, 경고
couch (특정 방식으로) 말하다
inasmuch as ~이므로; ~인 점을 고려하면
perpetuate 영속시키다

construe ~로 이해하다, 해석하다
disciplinary 징계의; 규율의

한글 번역 학교 교육은 주로 언어적 과정이며, 언어는 종종 학생들을 평가하고 구분 짓는 무의식적인 방법의 역할을 한다. 교육내용과 학문적 지식이 언어를 통해 구성되고 제시되는 한, 하나의 학과목을 배운다는 것은 특정한 의사소통의 목적을 이루기 위해 언어적으로 잘 구성된 글을 읽고 쓰는 것을 의미한다. 학교에서 학생들은 그들이 배운 것과 사고하는 것이 공유되고, 평가되며, 더 나아가서는 질문을 받거나 지지받을 수 있는 방식으로 표현하기 위해 언어를 사용할 것으로 기대되어 진다. 하지만 언어 패턴 그 자체가 학생들과 선생님들의 관심의 중심이 되는 경우는 거의 없다. 그들의 관심은 일반적으로 그들이 읽고 반응하는 글의 내용에 있는 것이지 언어가 그 내용을 해석해내는 방식에 있는 것이 아니다. 게다가, 언어사용에 대한 선생님들의 기대는 좀처럼 분명하게 표현되지 않으며, 학습 과업에서 언어 사용과 관련하여 기대되는 것의 많은 부분은 여전히 "너만의 단어를 사용하라."거나 "명료하게 써라."는 선생님의 애매모호한 훈계의 말로 표현된다. 쓰기 과업은 특정 글 유형이 어떻게 일반적으로 구성되고 조직되는지에 대한 학생들을 위한 분명한 지침 없이 주어진다. 이 때문에 크리스티는 (1985년에) 언어를 학교 교육의 '감춰진 교육과정'이라 칭했다. 학생들의 능력에 대한 판단은 흔히 그들이 어떻게 언어로 본인의 지식을 표현하느냐에 기초한다. 이런 판단을 특징짓는 시험, 상담, 교실에서의 상호작용은 종종 명백하게 표현되지 않는 가치들을 영속화시키고 지속시킨다. 이는 학습상의 언어적 어려움을 주의 깊게 분석하는 것이 학생들이 직면한 어려움을 이해하고 학생들이 배운 주제에 대해 말하고 쓰는 데 있어 드러내는 한계를 이해하는 데 중요하다는 것을 암시한다.

02

Step 1	Survey
Key Words	linguistic; focus of attention; structured; organized; curriculum
Signal Words	inasmuch as; in addition; for these reasons; this suggests that
Step 2	**Reading**
Purpose	to argue for a better understanding of the linguistic challenges of learning
Pattern of Organization	series
Tone	critical
Main Idea	More attention should be paid to the linguistic challenges of learning in order to understand the difficulties students face.
Step 3	**Summary**
지문 요약하기 (Paraphrasing)	More attention should be paid to the linguistic challenges of learning in order to understand the difficulties students face. Although the processes of teaching and learning involve the use of language at every stage, attention is mainly focused on the content rather than key linguistic aspects themselves. Students are judged on the basis of how they express their knowledge, yet are not given explicit guidelines about their use of language. An analysis of this situation is important in understanding students' situation.
Step 4	**Recite**
	요약문 말로 설명하기

모범답안 The writer uses gambling as an analogy to exemplify impulsivity. In a speaker of three languages, the higher-developed new brain, which handles language and rationality, would be used.

채점기준
- 4점 : 모범답안과 같거나 유사하였다.
- 2점 : 둘 중 하나만 맞았다.
- 0점 : 모범답안과 다르다.

어휘

amygdala (소뇌의) 편도체
faculty 능력; (대학의) 학부
gusto 열정
limbic system 변연계(인체의 기본적인 감정, 욕구 등을 관장하는 신경계)
neocortex 신피질
pleasure center 쾌락 중추
rationality 합리성, 순리성
turmoil 혼란, 소란

equilibrium 평형; 마음의 평정
go for ~에 덤벼들다

nucleus accumbens 측좌핵
prospect 가망, 예상
spur 자극하다

한글 번역　내성적인 사람과 외향적인 사람이 예상되는 보상에 대해 왜 다르게 반응하는지를 이해하기 위해서는 뇌 구조에 대해 약간은 알 필요가 있다. 인간의 변연계는 가장 원시적인 포유동물들도 갖고 있으며 도른이 '구뇌'라고 부르는 것인데, 이것은 감정적이고 본능적이다. 변연계는 편도체를 포함한 다양한 구조들로 구성되어 있고, 때로는 뇌의 '쾌락 중추'라 불리기도 하는 측좌핵과 서로 관련되어 있다. 도른에 의하면, 구뇌는 끊임없이 우리에게 "그래, 그래, 그래! 더 먹고, 더 마시고, 더 모험을 해 봐. 네가 할 수 있는 모든 열정에 도전해 봐. 그리고 무엇보다도 생각하지 마!"라고 일러주고 있다. 구뇌 중에 보상을 바라고 쾌락을 즐기는 부분은, 도른의 생각에 사람들이 평생 모은 돈을 카지노의 칩처럼 취급하도록 부추긴 것이다. 우리는 또한 신피질이라고 불리는 '신뇌'도 가지고 있는데, 이는 변연체가 생기고 수천 년 후에 진화한 것이다. 신뇌는 사고, 계획, 언어, 의사 결정을 관장하는데, 이것들은 바로 우리를 인간으로 만들어주는 능력들의 일부이다. 신뇌가 우리의 감정생활에서도 상당한 역할을 하지만, 이것은 이성을 관장하는 부분이다. 도른에 의하면, 이것의 역할은 "안 돼, 안 돼, 안 돼! 하지 마, 위험하고 말도 안 되는 것이고, 너나, 네 가족이나, 사회에 가장 유익한 게 아니니까."라고 말하는 것이다. 구뇌와 신뇌가 함께 작용하지만, 항상 효율적인 것은 아니다. 실제로는 가끔 그것들이 마찰을 일으키기도 하는데, 그러면 우리의 결정은 어느 것이 더 강한 신호를 보내느냐에 따라 정해진다.

NOTE

Step 1	Survey
Key Words	introverts; extroverts; brain structure; limbic system
Signal Words	it comprises; we also have; although
Step 2	**Reading**
Purpose	to describe the differences between the "old brain" and the "new brain"
Pattern of Organization	comparison&contrast
Tone	neutral
Main Idea	The older, emotional and instinctive part of the brain and the newer, thinking and planning part sometimes work together and sometimes are in conflict.
Step 3	**Summary**
지문 요약하기 (Paraphrasing)	The older, emotional and instinctive part of the brain and the newer, thinking and planning part sometimes work together and sometimes are in conflict. The limbic system is the older part of the brain, which we share with primitive mammals. It prompts us to act emotionally and instinctively to increase pleasure. The neocortex is the newer part that makes as think and plan. It prompts us to be rational and careful, acting in our best interest.
Step 4	**Recite**
	요약문 말로 설명하기

15 하위내용영역 일반영어 A형 서술형   배점 3점   예상정답률 50%   본책 p.214

모범답안 The main difference is that unlike the Impressionists who painted finished works outdoors, Corot opted to paint his works indoors(in the studio) in the detailed way most in-line with the academic manner, (foregoing direct observation that made the Impressionists choose different colors and techniques from his).

채점기준
• 3점 : 모범답안과 같거나 유사하였다.
• 0점 : 모범답안과 다르다.

어휘
academic art 아카데미 미술(16세기 말에서 19세기까지 관영 아카데미의 규범에 따라 창조된 미술양식)
atmospheric 대기의; 분위기의
integral 필수적인; 완전한
modeling 모형화; 입체감 표현
underscore 강조하다
impressionist 인상파 화가
meticulously 꼼꼼하게; 지나치게 소심하여
prolific 다작(多作)의; 다산(多産)의
with regard to ~에 관해

한글 번역 가장 많은 작품을 내놓고 가장 많은 영향력을 끼치고 있던 19세기 풍경화가 코로는 인상파 전시회에 참여하라는 초대를 거절하였으나, 그의 영향력은 거기에 전시되었던 모네, 피사로, 르누아르의 많은 작품 속에서 확연히 느껴졌다. 많은 다른 화가들과 마찬가지로 코로 또한 스케치를 밖에서 했지만, 그는 스케치를 이용하여 화실 안에서 작품들을 창작했다. 이 작품들은 특히 물감 처리와 구성적 균형 면에서 아카데미 미술의 필수 요소인 마무리 솜씨를 보여주었다. 그러나 인상파 화가들은 스케치뿐 아니라 완성된 작품의 물감칠도 야외에서 했는데, 그것이 직접 관찰의 자연스러움을 보존함으로써 그들의 스타일을 변화시켰다. 그들은 실제적인 시각적 경험을 더 정확하게 반영하는 색상들을 채택했으며, 그림자와 입체감 표현을 위한 검은색과 갈색의 사용을 피했다. 그 결과, 그들의 작품들은 색채, 빛, 그리고 분위기 효과를 강조했다. 게다가, 그들의 비교적 여유 있고 개방된 붓놀림은 예전에 프랑스 회화의 중심이었던 지나칠 정도로 상세한 학문적인 방식으로부터의 자유를 강조했다.

02

NOTE

Step 1	Survey
Key Words	Corot; Impressionists; outdoors; studio
Signal Words	like; however; unlike; not only...but also
Step 2	Reading
Purpose	to illustrate the stylistic importance and differences of Corot's work in regard to other French Impressionists.
Pattern of Organization	comparison&contrast
Tone	neutral
Main Idea	Corot held influence on the French Impressionist painters but differed through his approach of using painstaking detail in the academic manner while working in his studio, rather than painting outdoors.
Step 3	Summary
지문 요약하기 (Paraphrasing)	Corot, who was an influential French artist of the 19th century, held influence on the French Impressionist painters but differed through his approach of using painstaking detail in the academic manner while working in his studio, rather than painting outdoors. In his work, he painted in his studio, following a finished, academic style. The Impressionists, on the other hand, painted outdoors, using a spontaneous style based on direct observation.
Step 4	Recite
	요약문 말로 설명하기

모범답안 The word that best fits the blank is "morality"(또는 ethics). According to the above passage, our society's culture could be defined as "abnormal" or "aberrant" by other cultures.

채점기준

• 4점 : 모범답안과 같거나 유사하였다.
• 2.5점 : 둘 중 서술형 문제만 맞았다.
• 1.5점 : 둘 중 기입형(빈칸형) 문제만 맞았다.
• 0점 : 모범답안과 다르다.

어휘

aberrant 비정상적인, 일탈적인	be subject to ~의 지배를 받다, 영향을 받다
condition 조절하다, 결정하다	constitution 구성; 기질; 헌법, 관습
derive ~로부터 끌어내다; ~의 기원을 찾다	discredit 신용을 떨어뜨리다; 믿지 않다
inclination 경향; 경사도	incontrovertibly 반박의 여지가 없이, 확실하게
institutional 제도상의, 규격화된, 획일적인	mores 풍습, 관습, 사회적 관행
uncongenial 마음에 들지 않은; 적합하지 않은	utilize 활용하다, 소용되게 하다

한글 번역 그 어떤 문명도 그 문명의 사회적 관습을 이루는 데 있어 가능한 모든 범위의 인간 행위를 이용할 수는 없다. 모든 사회는 어느 쪽이든 한 방향으로 얼마간 기울기 시작해서 그 선호하는 쪽으로 점점 더 나아가면서, 그 사회가 선택한 기반 위에 점점 더 완전하게 통합되며, 적합하지 않은 유형의 행위들은 버린다. 우리에게는 아무런 논란의 여지 없이 비정상적으로 보이는 그런 인성 조합들 대부분을 다른 문명들은 그들의 제도적 생활의 바로 그 토대를 이루는 데 사용해왔다. 정반대로 우리 문명의 정상적인 개개인들의 가장 존중되는 특징들이 우리와 다르게 조직된 문화들에서는 비정상적인 것으로 간주하여 왔다. 간단히 말해, 매우 넓은 범위에서는, 정상이란 문화적으로 규정되는 것이다. 우리가 문제를 인식하는 바로 그 시각은 우리 사회의 오랜 전통적 관습에 의해 정해진다.

　그것은 정신의학과 관련해서라기보다 윤리와 관련하여 더 자주 지적되어온 요점이다. 우리는 우리들이 사는 장소와 시대의 도덕성을 인간 본성의 필연적 구성으로부터 직접 도출해내는 실수를 더이상 저지르지 않는다. 우리는 그것을 제1원리라는 고귀한 지위로 추켜세우지 않는다. 우리는 도덕성이 사회마다 다르며 사회적으로 인정된 관습들을 가리키는 편리한 용어일 뿐이라는 것을 인정한다. 인류는 항상 "그게 관습적이지."라는 말보다 "그게 도덕적으로 옳아."라는 말을 선호해왔다. 그러나 역사적으로 이 두 표현은 같은 뜻을 나타낸다.

02

Step 1	Survey
Key Words	mores; human behavior; abnormal; normality; morally good; habitual
Signal Words	conversely; in short; it is a point that
Step 2	Reading
Purpose	to assert that what is considered normal and moral varies from society to society
Pattern of Organization	not clear
Tone	persuasive
Main Idea	Behavior that is considered normal is often just a matter of the traditional habits of a society and may be considered abnormal in a different culture.
Step 3	Summary
지문 요약하기 (Paraphrasing)	Every civilization has its own set of mores, and behavior that is accepted as normal in one society may be regarded as abnormal in another. In other words, when we say something is "morally good," we often merely mean that it is a habit that is considered acceptable in our society.
Step 4	Recite

요약문 말로 설명하기

17 하위내용영역 일반영어 A형 서술형　　배점 4점　　예상정답률 45%　　　　　　　　　본책 p.218

모범답안 ▶ The word for the blank is "individual". Second, in regards to family, the passage describes Asians as showing filial piety, showing "subordination and restraint" more easily than westerners.

채점기준
- 4점 : 모범답안과 같거나 유사하였다.
- 2.5점 : 둘 중 서술형 문제만 맞았다.
- 1.5점 : 둘 중 기입형(빈칸형) 문제만 맞았다.
- 0점 : 모범답안과 다르다.

어휘

bliss 더 없는 행복
bridle at ~을 무시하다, 콧방귀 뀌다
filial piety 효도, 효심
gregarious 사교적인; 군집의
implication 영향; 암시; 의미
self-contained 자족적인; 자립하는
subordinate 경시하다; 종속시키다
tremendous 엄청난, 굉장한

boldness 대담, 배짱
collective 집단, 공동체
foster 촉진하다, 조장하다; 육성하다
humility 겸손; 비하
jockey for ~을 차지하려고 다투다
submit to ~에 복종하다
restraint 구속, 자제
undue 지나친, 적당하지 않은

한글 번역 ▶ 많은 아시아 문화는 단체 중심적이지만, 서구인들이 단체에 대해 생각하는 그런 방식으로는 아니다. 아시아의 개인들은 자신들을 가족이든, 회사든, 지역사회든 더 큰 전체의 일부로 인식하고, 그 집단 안에서의 조화에 큰 가치를 부여한다. 그들은 종종 그들 자신의 개인적 욕망을 집단의 이익 아래에 두고, 집단의 위계질서 안에서의 그들의 지위를 받아들인다. 이와는 대조적으로, 서양 문화는 개인을 중심으로 해서 조직된다. 우리는 우리 자신을 독립된 단위로 간주한다. 그래서 우리의 운명은 자신의 생각과 감정을 표현하는 것이고, 우리의 행복을 추구하는 것이고, 부당한 구속으로부터 자유로워지는 것이고, 다른 사람들이 아닌 우리만이 해내도록 이 땅에 불려오게 된 그 한 가지를 성취하는 것이다. 우리는 집단적일 수 있지만, 집단의 의지에 굴복하지는 않는다. 혹은, 적어도 굴복한다고 생각하기를 좋아하지는 않는다. 우리는 부모님을 사랑하고 존경하지만, 효도와 같은 개념은 복종과 구속을 암시하고 있어서 무시한다. 우리가 다른 사람들과 어울릴 때는, 다른 독립된 단위들과 함께 즐기고, 경쟁하고, 두각을 나타내고, 자리다툼을 하며, 그리고, 물론, 사랑하는 그런 독립된 단위로서 어울린다. 그렇다면, 서양인들은 개성을 증진하는 특성들인 대담성과 언어 구사 능력을 높이 평가하는 반면, 아시아인들은 집단의 화합을 강화하는 과묵함, 겸손함, 감수성에 가치를 둔다는 것이 이치에 닿게 된다. 만일 당신이 집단주의 사회에 살고 있다면, 자제하면서 심지어 복종하면서 처신한다면 일이 훨씬 더 순탄하게 진행될 것이다.

02

NOTE

Step 1	Survey
Key Words	Asian cultures; Westerners; group; team; individual; self-contained; gregarious; filial piety
Signal Words	but; by contrast; while
Step 2	Reading
Purpose	to point out some differences between Asian and Western cultures
Pattern of Organization	comparison&contrast
Tone	not clear
Main Idea	Asians tend to subordinate their personal desires to the interests of the group to which they belong, while Westerners tend to be individualistic.
Step 3	Summary
지문 요약하기 (Paraphrasing)	Asians tend to subordinate their personal desires to the interests of their family, community, or whatever group they belong to, accepting their place in the hierarchy of that group. Westerners, on the other hand, tend to be individualistic and competitive, seeing themselves as self-contained units. When one lives in a collective, the Asian type of restraint makes things go more smoothly.
Step 4	Recite
요약문 말로 설명하기	

모범답안 The statues are important because of the tourism revenue they bring in. Second, the earlier incident suggested to have created distrust amidst villagers was the taking of 35 statues by Konrad Preuss.

채점기준
- 4점 : 모범답안과 같거나 유사하였다.
- 2점 : 둘 중 하나만 맞았다.
- 0점 : 모범답안과 다르다.

어휘

artefact 인공물[품]
centenary 100주년 (기념일)
complex 복합체; 합성물; 복합 단지
likeness 닮음; 초상, 화상, 닮은 것
replica 복제; 복제품
suspicious 의심스러운, 의심하는

blockade 차단하다, 막다
chieftain 추장, 두목, 수령
excavation 발굴
megalithic 거대한 돌의
trample 짓밟다, 유린하다

한글 번역 산 아구스틴에 있는 고대 석상들은 가장 불가사의한 콜럼버스 이전 시대의 고고학적 유물들에 속한다. 지금까지 고고학자들은 남미 최대의 거대 석상 지대가 된 곳에서 신화 속의 동물, 신(神), 추장들의 모습을 한 600여 점의 석상이 있는 40개의 거대한 봉분들을 발견하였다. 그 지역의 다른 유적지들과 마찬가지로, 산 아구스틴도 약탈을 경험하였다. 그곳에서 유럽 최초의 발굴을 이끌었던 독일 인류학자, 콘라드 프루스는 자신이 발견한 35개의 조각상을 베를린의 한 박물관으로 싣고 갔는데, 그것들은 여전히 그곳에 남아있다. 이러한 역사는 그 유적지에 오는 관광객들을 통해 생계를 유지하는 그 지역주민이 의심을 하게 만들었다. 그 의심은 그 석상 중 20개를 프루스의 유적지 발견 100주년을 기념하기 위한 3개월의 전시를 위해, 차로 열 시간 거리에 있는 수도, 보고타로 옮기겠다는 국립박물관의 계획에 의해서도 입증되었다. 일시적이라 하더라도 석상을 옮기는 것이 민감한 문제임을 인식하고 있던 콜롬비아 인류학 연구소의 인류학자들은 그 석상들을 더 많은 사람들이 볼 수 있도록 허락하는 것이 갖는 중요성을 설명하기 위해 지역 회의를 개최하였다. 그러나 지역민들은 석상들이 반환되지 않거나 모조품으로 바꿔치기 될 것이 걱정된다고 말했다. 전시 날짜가 다가오자, 그들은 석상의 반출을 허락하는 대가로 도시에 새 상수도 시설을 설치해 줄 것 등과 같은 요구를 하기 시작하였다. 협상은 타결되지 않았다. 지난 달, 석상을 보고타로 옮기기로 예정돼 있던 날에 지역민들은 도로를 봉쇄하고 인부들이 트럭에 짐을 싣는 것을 막았다. 박물관은 나름의 항의 형식을 택했다. 그 전시회는 11월 28일에 석상 없이 시작되었다. 석상이 있었을 곳에는 조명이 비치고 있다. 가이드들은 가상현실 프로그램과 태블릿 컴퓨터를 이용하여 방문객들에게 그곳에 있어야 했을 석상의 입체 영상을 보여준다. 박물관은 강경한 입장을 취했다. 즉, 개관식의 전시품은 관람객들이 '소수의 사람들이 우리의 유산에 대한 배타적 권리를 주장하여 모든 콜롬비아인들의 문화적 자유를 짓밟을 때 생기는 공허함과 침묵'에 대해 생각해보도록 한다.

02

NOTE

Step 1	Survey
Key Words	statues at San August; archaeological artefacts; megalithic
Signal Words	so far; like other sites; as the date neared; on the day
Step 2	Reading
Purpose	to explain why and how the people of San Agustín protected their region's ancient statues
Pattern of Organization	time order (narrative)
Tone	neutral
Main Idea	Having suffered plunder previously, the people of San Agustín protested when the national museum was going to take 20 of their ancient statues away for an exhibit.
Step 3	Summary
지문 요약하기 (Paraphrasing)	Archaeologists have discovered about 600 ancient statues in 40 large burial mounds in San Agustín, Colombia. A century ago, a German archaeologist took 35 of the statues away to Berlin, where they remain today. Having suffered such plunder, the people of San Agustín protested when the national museum was going to take 20 of the statues away for an exhibit. They blockaded the site, so the museum was forced to open the exhibit without the statues.
Step 4	Recite
	요약문 말로 설명하기

19 하위내용영역 일반영어 A형 서술형 배점 4점 예상정답률 50% 본책 p.222

모범답안 The incorrect navigation of Europeans was to look for passage to Asia through Northern America. The most powerful force in the seventeenth century Americas was the Dutch.

채점기준
• 4점 : 모범답안과 같거나 유사하였다.
• 2점 : 둘 중 하나만 맞았다.
• 0점 : 모범답안과 다르다.

어휘

carve out (진로·토지 따위)를 개척하다, 트다
flex one's muscles 힘이 있음을 보이다, 힘으로 위협하다
literally 문자[말] 그대로; 그야말로; 정말로
maritime 바다의, 해양의; 배의
pirate 해적 행위를 하다; 약탈하다; 저작권을 침해하다; 표절하다
populate (어떤 지역에) 살다; 사람을 거주시키다
rim 가장자리, 테두리; [항해] 해면(海面)
set off 출발하다
with the aim of ~을 지향하여, ~을 목표로

dividend 배당금
have a hand in ~에 관예[참가]하다
lucrative 돈벌이가 되는, 유리한, 수지맞는
mouth (강의) 어귀
outpost 전초지[부대]; 최선단; 변경의 식민지
seaboard 해안, 연해[연안] 지방
take over 인계받다; 탈취[장악]하다

한글 번역

남북 캐롤라이나주에서 뉴잉글랜드에 이르는 대서양 연안으로 재빨리 주민을 이주시키고 있던 영국인들은 아메리카 신대륙에 대한 독점권을 가지고 있지 않았다. 프랑스와 네덜란드 탐험가들 또한 바빴으며, 프랑스와 네덜란드 두 국가는 북아메리카에서 독립된 영토들을 개척하고 있었다. 네덜란드는 지금의 뉴욕주인 허드슨강 유역에 뉴 네덜란드를 세웠고, 1609년 헨리 허드슨의 탐험을 근거로 그 지역에 대한 권리를 주장했다.

영국인 허드슨은 아시아의 북쪽 해안을 따라 중국에 이르는 항로인 북동 항로를 찾길 원했던 네덜란드 회사에 고용되었다. 1609년 허드슨은 '하프 문'을 타고 북동 항로 대신에 북서 항로를 향해 출발했다. 대서양 연안을 따라 남하하면서, 허드슨은 체서피크 만에 들어갔다 거기서 유턴하여 다시 북쪽으로 허드슨 강을 따라 탐험하며 올라가 멀리 상류에 있는 올버니에 이르렀다. 그는 조수가 없음에 주목하여 이 항로가 태평양 연안에 이르지 않을 것이라고 옳게 추정했다.

1600년대 초에 영국이 새롭게 힘을 과시하고 있었지만, 세계에서 가장 큰 상선을 건조함으로써 해양 문제에서 진정한 세계 강대국이 된 것은 네덜란드였다. 그 당시 이미 알려진 세계에서 네덜란드가 해양 문제에 있어 관여하지 않은 곳은 말 그대로 하나도 없었다. 암스테르담은 유럽에서 가장 분주하고 부유한 도시가 되었다. 1621년 네덜란드 서인도회사가 유럽과 아메리카 신대륙 간의 무역을 장악하기 위해 설립되었고, 네덜란드는 곧 1624년에 포르투갈로부터 수익성이 좋은 노예와 설탕 무역 전초기지에 대한 통제권을 빼앗았다. 2년 후에 무역 도시인 뉴암스테르담(나중에 뉴욕으로 개칭)이 허드슨강의 어귀에 건설되었다. 네덜란드 서인도회사는 무역과 식민지 건설 이상의 일을 했다. 1628년 네덜란드 서인도회사의 피트 헤인 제독은 스페인의 보물 함대를 포획했고, 회사 주주들에게 75% 배당금을 지급할 수 있을 정도로 충분한 은을 약탈하였다.

NOTE

Step 1	Survey
Key Words	explorers; territories; maritime; merchant marine fleet
Signal Words	in 1609; 1621; 1624; two years later
Step 2	Reading
Purpose	to describe Dutch exploration in the New World
Pattern of Organization	time order
Tone	neutral
Main Idea	By the early 1600s, the Dutch were a major maritime power and continued to expand, conducting trade between Europe and the New World.
Step 3	Summary
지문 요약하기 (Paraphrasing)	By the early 1600s, the Dutch were a world-class maritime power. in 1621, they formed the Dutch West India Company, conducting trade between Europe and the New World and even taking control of the lucrative slave and sugar trade from the Portuguese. They established New Netherlands in the Hudson River valley, with its main settlement at New Amsterdam, which was later to become New York City. They even captured Spanish treasure ships, enriching their shareholders.
Step 4	Recite
요약문 말로 설명하기	

모범답안 The word for the blank is "capital". Second, the United States has the largest immigrant population due to economic reasons. The movement of capital and investments across international borders is more common than immigration of people.

채점기준
- 4점 : 모범답안과 같거나 유사하였다.
- 2점 : 둘 중 하나만 맞았다.
- 0점 : 모범답안과 다르다.

어휘

around-the-clock 24시간 연속의, 쉴 새 없이 계속되는
chunk 큰 덩어리; 상당한 양[액수]
downside 불리한[덜 긍정적인] 면
inflow 유입
migration 이주, 이동
net (에누리 없는) 정(正)~, 순(純)~; 최종적인
portfolio 유가 증권 명세표, 포트폴리오; 자산 구성(각종 금융 자산의 집합)
recycle 재생 이용하다, 재순환시키다, (차관·투자 등의 형태로) 환류 시키다
regulated 통제된, 규제된
set up 건립하다, 설립하다
subsidiary 자회사

branch 지점; 분과, 부문
deposit (돈 따위를) 맡기다, 예금하다
impose 지우다, 부과하다; 강요[강제]하다
in general 대개, 반적으로
monetary 통화[화폐]의; 금융의

restricted 제한된, 한정된
sovereign 주권을 갖는; 자주적인, 독립된

한글 번역 오늘날 세계에는 자신이 태어난 곳이 아닌 다른 국가에서 살고 있는 사람이 약 1억 9천만 명에 이른다. 그들 중 거의 60%가 부유한 국가에서 살고 있다(약 3천 6백만 명의 사람들이 유럽에서 살고 있으며 3천 8백만 명의 사람들이 미국에서 살고 있다). 사람들은 주로 경제적인 이유로 이주하지만, 정치적·종교적 탄압을 피하기 위해 이주하는 사람들도 있다. 미국에서 살고 있는 3천 8백만 명의 외국 태생의 사람들은 미국 인구의 12.6%에 상당한다. 이들 중 거의 30%에 달하는 1천 1백만 명의 사람들이 미국에 불법적으로 들어왔다. 대부분의 국가들은 미숙련 된 사람들의 유입을 줄이기 위해 이주에 제한을 가하고 있다(종종 고도로 숙련되고 전문적인 사람들의 이주를 장려하기도 한다). 이주는 대개 재화, 서비스 그리고 자본의 국제적인 이동보다 더 제한되고 통제 되고 있다.

　일반적으로, 자본은 사람들보다 국가적 경계를 넘어 자유롭게 유입된다. 은행 융자나 채권 등의 금융자본 또는 포트폴리오 자본은 대개 이자율이 더 높은 국가와 시장으로 이동하며, 공장과 회사의 외국인 직접 투자는 예상 수익이 더 높은 국가로 이동한다. 이는 자본의 보다 효율적인 사용을 유발하며 대개 대출자와 차용자 모두에게 이득이 된다. 1970년대에 중동 국가들은 석유 수출로 얻은 다량의 막대한 수익을 뉴욕 은행과 런던 은행에 예치했고, 그러고 나서 그 은행들은 그 자금을 라틴 아메리카와 아시아의 정부들과 기업들에게 빌려주었다. 1980년대에 일본은 막대한 수출수익 가운데 상당 액수를 금융자산과 부동산에 투자했고 미국에 자회사들을 설립했다. 1980년대 중반 이래로 미국은 생산에 대한 과잉 지출을 충당하기 위해 세계 나머지 국가들의 점점 더 큰 순차용국이 되어왔다. 글로벌 은행들은 전 세계 주요 국제적인 금융 중심지에 은행 지점들을 설치했고, 3조 달러에 달하는 외국 통화가 세계 금융 중심지에서 매일 24시간 거래를 통해 교환되고 있으며, 그리고 신설된 국부펀드(중동의 석유 수출 국가, 싱가포르, 중국, 러시아, 브라질이 소유하는 투자기구)는 전 세계에 온갖 종류의 막대한 투자를 하고 있다. 금융시장은 전에 없이 세계화되고 있다. 단점은 금융위기가 한 국가에서 시작되면 그것이 다른 국가들에 빨리 퍼진다는 것이다.

NOTE ▶

Step 1	Survey
Key Words	migrate; economic; capital; financial
Signal Words	primarily; in general; this leads to; during; since
Step 2	**Reading**
Purpose	to highlight financial globalization
Pattern of Organization	time order; process
Tone	informative
Main Idea	Capital moves across national boundaries more freely than people.
Step 3	**Summary**
지문 요약하기 (Paraphrasing)	Many people migrate to countries other than the one they were born in, but such immigration is more restricted than the movement of goods, services, and capital. Bank loans and bonds tend to go to places where interest rates are higher, while direct investment tends to go to places where higher profits can be expected. Today, financial institutions owned by exporting nations are making big investments all over the world. The disadvantage of such globalization is that a financial crisis in one country easily spreads to others.
Step 4	**Recite**
요약문 말로 설명하기	

모범답안 The phrase "such things" refers to works of art, including music, plays, and books. Second, the words for the blank are "breaking crusts".

채점기준

• 4점 : 모범답안과 같거나 유사하였다.
• 2점 : 둘 중 하나만 맞았다.
• 0점 : 모범답안과 다르다.

한글번역 아주 많은 사람들이 아주 어린 나이에 제한적인 판단력의 재고에 무엇인가를 채워 넣는 일을 그만둔다. 특정한 나이가 지나면, 가령 25살 이후, 이들은 교육받는 것이 끝났다고 생각한다. 이들이 고통스럽고 지루한 과정—명확하게 말해서 교육과정—을 통과하고 나서 교육은 끝났다고 생각하는 것, 또는 평생 동안 주위에서 일어나는 모든 사건에 라벨을 붙여서 그것을 각각의 주어진 분류함에 집어넣을 준비가 되어 있다고 생각하는 것은 아마도 자연스러운 것처럼 보인다. 어떠한 사건에도 붙일 라벨을 갖추고 있는 사람은 더 이상 어떠한 것도 보려고 하지 않는다. 그는 심지어 그가 학교에 들어가기 전에 스스로 관심을 가지고 관찰하였던 일상적인 사건들에도 더 이상 관심을 기울이지 않는다. 그는 단지 행동하고 반응할 뿐이다. 더 이상 주위의 사건에 주목하지 않는 사람들에게 유일하게 가능한 새로운 또는 다시 새로워진 경험, 즉 새로운 지식은 예술작품으로부터 온다. 이 예술작품은 위에서 언급한 사람들이 그들이 바라는 조건에 근거하여 수용할 준비가 되어 있는 유일한 경험이기 때문에, 이들은 그들을 싸고 있는 껍데기로부터 나와서 음악, 연극, 서적 등을 접하게 된다. 왜냐하면 이것은, 이들이 인정한, 새로운 경험과 지식을 즐기는 방법이기 때문이다. 사실, 이들은 예술적인 편견을 가지고 연극이나 서적에 접근할지도 모른다. 이러한 편견은 그들이 지금 보고 있는 연극을 제대로 파악하지 못하게 할 것이며, 자신이 지금 보는 책을 제대로 이해하지 못하게 할 것이다. 아마도 이들의 예술적 민감성이란 것은 이들의 정신처럼 껍데기로 덮여져 있을 것이다. 하지만 이러한 껍데기를 깨는 것이 예술가들의 일이다. 그들 자신을 위하여 일을 하는 것이 아니라 다수의 대중을 위하여 일을 하는 예술가들은 이러한 껍데기를 부수는 데 관심을 가지고 있다. 왜냐하면 이들 예술가들은 그들의 직관을 대중들과 소통하고자 하기 때문이다.

02

NOTE

Step 1	Survey
Key Words	new knowledge; Artist's job
Signal Words	Because
Step 2	Reading
Purpose	to point out problems of current education and the role of art
Pattern of Organization	not clear
Tone	critical
Main Idea	Art can give renewed experience and knowledge to people who stop observing and learning after their formal education.
Step 3	Summary
지문 요약하기 (Paraphrasing)	Many people stop observing and learning after they complete their formal education. Such people may wrongly think they already know how to judge everything and may miss out on many experiences. Art can give renewed experience and knowledge to such people.
Step 4	Recite
	요약문 말로 설명하기

모범답안 The word for the blank is "low". Second, it is because a knock-out is arranged to keep the prices in the auction room low.

채점기준

- 4점 : 모범답안과 같거나 유사하였다.
- 2.5점 : 둘 중 서술형 문제만 맞았다.
- 1.5점 : 둘 중 기입형(빈칸형) 문제만 맞았다.
- 0점 : 모범답안과 다르다.

한글 번역 경매는 대개 미리 광고가 되는데, 판매될 물품들 및 언제 그리고 어디서 장래 구매자들이 그것들을 볼 수 있는지에 대한 충분하고도 자세한 내용들이 거기에 실린다. 만일 광고가 세부 사항들을 충분하게 제공하지 못하게 될 경우에는 카탈로그가 인쇄되고, 또한 '로트'라고 불리는 같이 팔리게 될 물건들의 각 묶음에 번호가 부여된다. 경매인은 로트 번호 1번부터 번호 순서대로 시작할 필요는 없다. 그는 경매장에 어떤 딜러들이 있는지를 알아차릴 때까지 기다릴 수도 있고, 그런 다음 딜러들이 흥미를 가질 만한 경매품들(로트)을 소개한다. 경매인의 서비스는 그 물건이 판매되는 가격에 대한 특정 비율의 형식으로 지급된다. 따라서 경매인은 입찰가격을 가능한 한 높게 올리는 일에 관심을 갖게 된다. 경매인은 자신이 팔려고 내놓은 물건의 현재의 시장가치를 매우 정확하게 알고 있어야 한다. 그리고 그러한 물품들을 구입할 만한 구매자들에 대해서 잘 알고 있어야 한다. 경매인은 입찰 가격을 너무 낮은 데서 시작하여 시간을 낭비하는 일은 하지 않을 것이다. 또한 구매자들 사이에 경쟁을 붙여, 사업상 경쟁자들로 하여금 서로 대립하여 가격을 부르도록 하여 보다 높은 가격을 이끌어 내려고 노력할 것이다. 판매자가 '최저 경매가격', 말하자면 그 이하로는 물건이 판매될 수 없는 가격을 정하게 되는 것도 대체로 경매인의 충고에 따른 것이다. 그러나 비록 최고의 경매인이라고 할지라도 녹아웃(서로 짜고 헐값에 낙찰 받는 일)을 멈추게 하는 일을 쉽지 않다. 녹아웃을 통해서, 딜러들은 불법적으로 미리 서로에게 해가 되는 낙찰가격은 부르지 않도록 조정하여 그들 가운데 단 한 명만을 유일한 입찰자로 정하는데, 이렇게 되면 가장 낮은 가격으로 상품을 살 수 있게 된다. 만일 그와 같은 녹아웃이 일어나면, 실제 경매는 딜러들 사이에서 후에 비밀리에 일어나게 된다.

NOTE

Step 1	Survey
Key Words	auction; auctioneer; lot; knock-out
Signal Words	
Step 2	**Reading**
Purpose	to describe the role of the auctioneer
Pattern of Organization	time order (process)
Tone	neutral
Main Idea	An auctioneer directs the flow of the auction for the benefit of the sellers, while buyers sometimes make other arrangements.
Step 3	**Summary**
지문 요약하기 (Paraphrasing)	An auctioneer directs the flow of the auction for the benefit of the sellers, using his knowledge of the items and market to do his best. Buyers sometimes covertly arrange to avoid bidding in the official auction in order to bid in a smaller, private group.
Step 4	**Recite**
요약문 말로 설명하기	

모범답안 The word for the blank is "lynching". Second, the underlined word refers to the hungry alligators.

채점기준
- 4점 : 모범답안과 같거나 유사하였다.
- 2점 : 둘 중 하나만 맞았다.
- 0점 : 모범답안과 다르다.

한글 번역 | 본질적으로 우리가 정상적인 존재라는 감정을 재확립하기 위하여 공포영화를 보러 간다. 공포영화는 태생적으로 과거 지향적이다. 공포영화는 우리가 보다 문명화되고 성숙한 분석으로의 경향을 벗어 던지고 다시 어린이가 되도록, 그리고 사물들을 단지 순수한 흑과 백으로 보도록 요구한다. 우리는 재미 삼아 공포영화를 보러 간다. 공포영화는 땅이 경사지면서 미끄러지는 지점이다. 왜냐하면 공포영화는 아주 특이한 형태의 재미이기 때문이다. 공포영화의 재미는 다른 사람들이 위협을 당하거나 때로는 죽임을 당하는 모습을 볼 때 온다. 한 비평가는 공포영화가 현대화된 공개적인 린치가 되었다고 주장하였다. 우리 모두 안에는 잠재적인 폭력 가해자가 존재한다. 그리고 가끔다가 우리는 이러한 잠재적인 폭력 가해자의 본성을 구속에서 풀어주어야만 한다. 우리의 감정과 두려움은 잠재적인 폭력 가해자의 본체를 형성하게 된다. 우리 안의 잠재적인 폭력 가해자가 적절한 근육 상태를 유지하기 위하여 스스로 활동하고자 한다는 것을 우리는 인식한다. 이러한 감정적인 근육의 일부는 문명화된 사회에서 수용된다. 심지어 칭송받기도 한다. 사랑, 우정, 충성, 친절과 같은 것들은 우리가 박수를 보내는 감정들이다. 우리가 이러한 감정을 밖으로 내보일 때, 사회는 긍정적인 강화(＝ 칭찬)를 퍼붓는다. 하지만 반문화적인 감정은 사라지지 않으며, 이것은 정기적으로 자기 모습을 드러내기를 요구하고 있다. 공포영화는 수행해야 할 더러운 일이 있다. 공포영화는 의도적으로 우리 안에 있는 가장 나쁜 것에 다가온다. 공포영화는 사슬에서 풀린 병적 상태이며, 풀려난 가장 비천한 본능이며, 실현된 가장 고약한 환상이다. 가장 폭력적인 공포영화는 문명화된 전뇌(前腦) 속에 있는 함정문을 들어 올린 후 날고기로 가득 찬 바구니를 지하 깊숙한 강에서 헤엄치고 있는 배고픈 악어들에게 던져준다. 공포영화는 이 배고픈 악어들이 밖으로 나오지 못하도록 억제해 준다. 공포영화는 그 악어들을 낮은 그곳에 계속 머물게 하며 나를 여기 위에 있게 해준다.

NOTE

Step 1	Survey
Key Words	horror film; conventional; anticivilization emotions
Signal Words	to reestablish
Step 2	**Reading**
Purpose	to explain how horror films exercise an important outlet in the watchers' psyches
Pattern of Organization	cause&effect
Tone	subjective
Main Idea	Horror films are popular because of their use in providing an important release for darker instincts and fantasies, which aren't welcomed in a healthy society.
Step 3	**Summary**
지문 요약하기 (Paraphrasing)	Horror films are popular because of their use in providing an important release for darker instincts and fantasies, which aren't welcomed in a healthy society.
Step 4	**Recite**

요약문 말로 설명하기

24 하위내용영역 일반영어 B형 복합형 　배점 4점 　예상정답률 45% 　　　　　　　본책 p.232

모범답안 It is because she wants to reinforce the idea Mexican-Americans are a native rather than an immigrant group or a conquered group in the United States. Second, it is to provide a historical perspective for a new analysis of Mexican-American culture.

채점기준
- 4점 : 모범답안과 같거나 유사하였다.
- 2점 : 둘 중 하나만 맞았다.
- 0점 : 모범답안과 다르다.

한글 번역　전통적인 연구에서는 멕시코계 미국 문화에 대해 멕시코와 미국의 해석만을 대해왔다. 이제 우리는 이 문화를 우리 멕시코계 미국인들이 경험하는 대로 연구해야 한다. 주권 국민에서 새롭게 도착하는 정착민과 함께하는 동포로, 마침내는 자기의 땅에서 법적으로 명시된 소수민이 된 정복된 국민 문화 말이다. 스페인들이 처음 멕시코에 왔을 때, 그들은 토박이와 결혼해서 토착민 인디언의 문화를 흡수했다. 문화 변용을 통한 이러한 식민지화 정책은 계속되다가 멕시코가 1800년대 초 텍사스를 획득하고 토착민 인디언을 멕시코의 삶과 지배 가운데 데려왔다. 1820년대, 미국 시민은 텍사스로 이주해서 면화에 적당한 땅을 찾아갔다. 그들의 숫자가 보다 많아지면서 본토 민족을 정복함으로써 땅을 얻어내는 정책이 지배하기 시작했다. 두 이념이 반복해서 충돌했고, 미국이 승리하게 된 군사적 충돌로 절정을 이루었다. 따라서 우리의 조상 문화를 갑자기 빼앗겼기 때문에 우리는 생존을 위해 독특한 멕시코계 미국인으로서의 사고와 행동 양식을 발전시켜야 했다.

02

Step 1	Survey
Key Words	Mexican-American culture
Signal Words	now; When; first; when, in the early 1800s; In the 1820s
Step 2	Reading
Purpose	to show the history of the Mexican-American cultural identity
Pattern of Organization	time order
Tone	critical
Main Idea	Mexican-American cultural identity should be understood within the context of Mexican-American history.
Step 3	Summary
지문 요약하기 (Paraphrasing)	Mexican-American cultural identity should be understood within the context of Mexican-American history. The history of Mexican-American cultural identity began with gradual migration of U.S. citizens and then with a severing of ties with Mexico following war, leading to new ways of thinking for the sake of survival.
Step 4	Recite
	요약문 말로 설명하기

모범답안 및 번역 217

유희태 일반영어 ②

2S2R 유형   모범답안 및 번역

초판 1쇄	2014년 3월 13일	
2쇄	2014년 3월 29일	
2판 1쇄	2015년 2월 17일	
2쇄	2015년 2월 23일	
3쇄	2016년 2월 25일	
3판 1쇄	2017년 3월 10일	
2쇄	2018년 2월 20일	
3쇄	2018년 12월 15일	
4판 1쇄	2020년 2월 10일	
2쇄	2020년 12월 10일	
5판 1쇄	2022년 1월 10일	
2쇄	2023년 1월 5일	
3쇄	2024년 9월 5일	

저자와의
협의하에
인지생략

저자 유희태   **발행인** 박 용   **발행처** (주)박문각출판
표지디자인 박문각 디자인팀
등록 2015. 4. 29. 제2015-000104호
주소 06654 서울시 서초구 효령로 283 서경 B/D
팩스 (02) 584-2927
전화 교재 문의 (02) 6466-7202 동영상 문의 (02) 6466-7201

정 가 31,000원 (분권 포함)
ISBN 979-11-6704-327-6
ISBN 979-11-6704-325-2(세트)